近代から現

イン

「日本と世界」が同時にわかる すごい歴史

非株式会社いつかやる

KADOKAWA

はじめに

はじめまして！
「非株式会社いつかやる」と申します。

普段は社長、副社長、ぴろすけの３人のメンバーで主にYouTube、ニコニコ動画で歴史解説を行っています。今回は縁あって書籍化出来る事になりました。

本作品は亡くなった偉人達に直接インタビューして話が進んでいきます。僕らはいつも「偉人達に直接会って話を聞きてー」と世迷い言を垂れていました。だって、現場にいた人に話を聞けたらどれだけ楽しいか……。「ならその夢を実現させよう」という事で偉人達と会話をしながら解説していく本になりました！

世界と日本の流れがどんどんリンクしてきて今に繋がるようなイメージで、第１部が「近代以前の世界史」で副社長が担当、第２部が「幕末から明治期の日本史」でぴろすけが担当、第３部が「近現代史」で社長が担当しました！　それぞれが得意な分野を、思う存分、楽しみながら紹介しています。

正直、僕らは歴史家でもないただのオタクなので、史実に則（のっと）りながらも、諸説や逸話を沢山盛り込んでみました。難しい話は吹っ飛ばして、エンタメのように歴史を楽しんでもらえたらこれ幸いでごぜーます！

ぜひ最後までご愛読くださいませ！

非株式会社いつかやる

CONTENTS

ヤーッ

幕末② | 攘夷か開国か——分断される武士達 164

幕末③ | 幕府政治の終焉と目指すべき新しい国 196

明治① | 元号は明治。近代化の始まり 226

カバーデザイン	西垂水 敦（krran）
本文デザイン・図版	沢田幸平（happeace）
イラスト	伊藤ハムスター
DTP	思机舎
校正	山崎春江
編集	金子拓也

第1部

近代以前の世界史

文・いつかやる副社長

誰…？

15-17世紀

大航海時代の幕開けと世界貿易

15世紀から「**地理上の発見**」と呼ばれる大航海時代を通じて世界に進出したヨーロッパ勢力は、アフリカ、アジアなどに貿易・植民運動を推し進めていく事になる。そういったヨーロッパ各国の世界的な活動で当初、抜きん出たのが**スペインとポルトガル**だった。この2つの海洋国家は新しい航路を開拓し、貿易を独占し、植民地経営で巨万の富を獲得する。その海外交易での利益によってスペインは世界各地に植民地を築いて「**太陽の沈まぬ帝国**」と呼ばれるようになる……。しかし、歴史はそういったスペインの繁栄をいつまでも許す訳ではなかった。

大航海時代のスペイン・ポルトガル

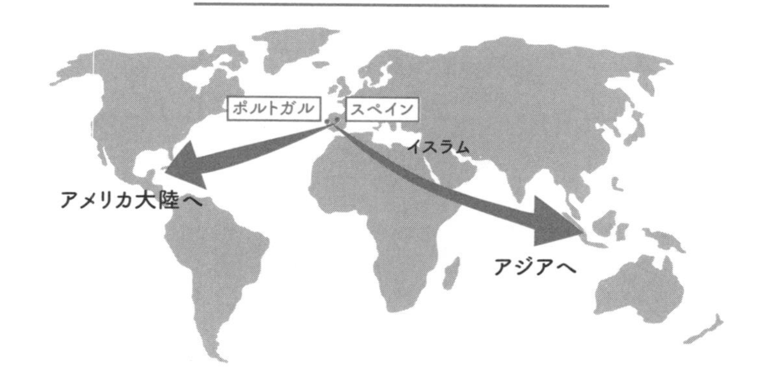

海上帝国に俺はなる！「スペインとポルトガル」

じゃあ、まず**大航海時代の始まり**から教えてほしいのですが、ヨーロッパの皆さんは何が目的で世界の海に出たのですか？

そりゃやっぱなんと言っても**香辛料**でしょ！ 胡椒（こしょう）とかのさ。

そうそう！ インドの香辛料とかね。肉の味もレベルアップするし香辛料めちゃくちゃいいよね！

やっぱり香辛料って凄く重宝されてたんですね。

ただね〜、メチャクチャ需要があったんだけど、高くて貴重なのがネックだったんだよね。

ホントそれ。クッソ高かったんじゃ〜。なにせ金と同じくらいの価値なんだから。

だから、もっと安くインドやアジアの香辛料を手に入れる為に海に出たって訳。

うん？ ……でも、インドだったらそこまで派手に海洋へ進出しなくてもいいんじゃ？ 地中海を通じて輸入するルートの方が最短じゃないですかね。

それは出来ない。

……だってほら、そこは**イスラム勢力**さんがいるっしょ。

それな。

あー……。

当時、ヨーロッパとアジアとの間にはマムルーク朝やオスマン帝国などのイスラム勢力が壁のように立ちはだかっていた強大な軍事力を背景に地中海東岸を支配し、**西アジア～地中海の貿易ルートも抑えて香辛料を含むアジアの貿易品を独占していた**のだ。その為、ヨーロッパは利益を吸い上げる交易条件をふっかけるオスマン帝国を経由してアジア産品を入手しなければならず、香辛料などアジア産品の価格がはね上がってしまう。

回想～大航海時代直前

よっしゃ！ 香辛料をインドから入手したろ！

ん？

じゃあ、早速インドとかのアジアから香辛料を手に入れてっと……。

ん？

あの～ちょっと香辛料を取引するんで通してもらってもいい？

ん？ ん？ ん？

……アジアから香辛料を輸入したいんですけど。

勿論どーぞどーぞ。でも一旦、うちの商人が仕入れるから、それをヨーロッパに売ってあげるよ～。

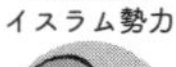

あと、取引も制限させてもらうね～。

え……そ、それだと香辛料メッチャ高くなるんすけど。

ん？ なに？

……イエ、ナンデモナイデス。

んじゃ、よろしく。

お、お疲れ様です。

……ぐっ！ このままじゃ香辛料貴重過ぎぃ！ 高しゅぎるぅぅぅぅ！ あいつら邪魔過ぎぃぃぃぃぃぃ！

くそッ！ な、何か良い方策は……せや！ 海上ルートで直接アジアから手に入れたろ！

かくしてイスラム勢力を避けて香辛料を直接、入手するルートを見いだす為、男達は世界の海へ乗り出した。当時、ヨーロッパでは**広い大海原を航海するのに重要な羅針盤が発明され、アジア文化や富への関心が高まっていた**為、彼らが世界の海へ進出する条件が揃っていたのである。こうして始まったのが大航海時代だった。

ポルトガル

ってな訳で、うちが筆頭になって海の交易路を開拓して、アジアに進出してった訳よ。

スペイン

んで、アジアの色んな場所に貿易する交易拠点や植民地を作っていったと。

スペイン

ただ、うちはどちらかと言うと新大陸進出がメインになるね。

副社長

確かこの頃にアメリカ大陸――いわゆる新大陸も発見したんですよね？ 新大陸はかなりおいしかったんじゃないですか？

スペイン

お、知ってる？ そうなんだよ。食べ物だったらトウモロコシ、トマト、ジャガイモ、……そして、**なんといっても銀！ 激アツ！**

ポルトガル

それまで銀って言えば南ドイツだったからなぁ。

スペイン

そうそう、だから新大陸で大量に採った銀をヨーロッパに持って帰ったりさ。

副社長

おお！ スペインさんの銀が回り始めてますね。

スペイン

しかも、この新大陸の銀って、アジアとの貿易にも活用出来る訳。

副社長

というと？

スペイン

中国（絹）⟷フィリピンのマニラ⟷メキシコのアカプルコ⟷スペインみたいな感じで交易ルートを結ぶでしょ。んで、手に入れた銀でアジアの胡椒、絹、茶なんかを取引すると。

副社長

あー、凄いですねこれ。銀で世界が繋がっちゃいましたよ。

スペイン

それな……。おかげでスペイン王家が潤って潤って。

ポルトガル

うちもアジアでの利益でウハウハですわ。儲かるし王家の権力も高まるし、一石二鳥！

副社長

あのぉ、王家が貿易を独占するのはいいけど、少しは他にも回した方が……。

スペイン

は？ 国は王のものだから、王家が潤えば国が潤う。問題ないでしょ？

ポルトガル

これは王家の金であって民草の金じゃない。そこを勘違いしてもらっては困るなぁ。

副社長

はぁ……。

ポルトガル

こんな儲かるおいしい仕組みを誰にも譲りたくない。海を守らなきゃ、新しく参入しようとする奴を追い出さなきゃ……。その為にもっと……、もっと人と金を投入しなきゃ。

スペイン

そうだ、もっと儲けなきゃ……、もっと王家を潤わせなきゃ……。他の誰にも渡したくない。譲りたくない。

副社長

ちょっとお2人とも、様子がおかしいですよ！ 落ち着いた方がいいですよ！

王室による独占貿易は両国をどんどん強くさせた。しかし、新大陸およびアジアとの貿易を独占し続ける為には海上覇権を維持し、他国の貿易参入を排除しなければならない。そんな激しい貿易競争の中で、ポルトガルは多くの人と金を投入し続ける。結果、ついに限界を超えてしまう。

ポルトガル

うーん、ちょっと調子よくないなぁ。

副社長

……？ おいしい海外貿易で絶好調じゃないんですか？

ポルトガル

そのはずなんだけど……、最近は食べても食べても痩せていっちゃうんだよね。

副社長

……どういう事でしょう。

ポルトガル

あれぇ？ いつの間にかうちの人口クッソ減ってるんですけど!?

副社長

え？ そ、それは大丈夫なんですか？

ポルトガル

大丈夫じゃない！ どうにかしなきゃ……。え？ 疫病！ 船乗りが持ち込んだ!? まずいまずいまずいまずい！ ああ！ いつの間にか人口が200万から100万になってるぅ！

副社長

そ、それは結構やばいんじゃ!?

ポルトガル

いや、マジでヤバいっ！ どんどん痩せていくぅぅぅぅぅ！ ヤバいヤバいヤバいヤバい！ 誰か助け――。

ポルトガルさんが退場しました。

副社長

ポルトガルさん！ どうしたんですか!? 返事してください！ ポルトガルさん！

ポルトガルでは若者の多くが貿易事業での船乗りや海外役人にとられ、人的資源、財力の流出を招いてしまう。また、船乗りが持ち込んだ疫病がポルトガルの貿易最大拠点リスボンを襲った。そういった要因が重なり**ポルトガルでは人口が激減、同時に国力も衰退の一途を辿(たど)ってしまう**。

ふっ、ポルトガルはもうだめだな。これからはスペインの一強！　スペインこそ至高！　もっと海外進出してもっと搾り取って、もっと王家に富を集めるんじゃい。

あれ？　ちょっと待ってください。スペインさんの様子もおかしいですよ。

……え？　金がない？　本国がぼろぼろで貿易赤字？

あーさすがに海外進出し過ぎましたね。

どーゆう事？

聞いたところ若者を貿易事業に使いまくったから農業も衰退してます。あと、なんといっても貿易の富を独占し過ぎて本国産業を育てなかったのはまずかったですね。

う、うそだろ。

スペインは王室が貿易を独占し続けて本国産業を育成するのを怠っ

た結果、農業は悪化し、産業の発展も失われていた。また、利益を求め続けた植民地拡大政策は戦費を雪だるま式に膨らませ、次第に王室の財政悪化を引き起こしてしまう。そこで、時のスペイン王フェリペ２世は財政不調を和らげる為にスペイン領だったネーデルラント（現オランダ・ベルギー・ルクセンブルク）に重税をかけようとするのだが……。

クソ、じゃあどうしたら……。そうだ！ 税をかけよう。そうとなればスペイン領ネーデルラントに課税どーん！

ネーデルラントと言えば、もともと毛織物工業が盛んな地域で経済的にも活発な地域ですね。でも、さすがにいきなり重税を課すのは……。

は？ 重税やって？ ちょ、ちょっと待ってくださいよ！

お？ 逆らう気？ お前って本当に反抗的だな？

反抗的？ そうなんですか？

こいつさぁ、キリスト教の宗派はカトリックな！って言ってるのに「うちは新教！ 新教！」うるせぇんだよぉ。

そういえばこの時代は旧教のカトリックとは別に新教のプロテスタントが出てきてるんでしたね。

そしたら次は税を払いたくないと来た。反抗的だろ？

副社長

でも、それぞれ宗教は自由だと思いますけど……。

スペイン

よっしゃ！ 決めた！ これからは反抗的な奴やカトリックじゃない奴は弾圧すっから。よろしく！

ネーデルラント

は？ ふざけんなや。宗主国だからってあんま調子乗ったらアカンでぇ！

スペイン

それはこっちのセリフなんだが？ 潰しちゃうよ？

ネーデルラント

…… もう、我慢出来へん。独立やあぁぁぁぁぁ。

スペイン

させる訳ねーだろ！ 身の程を知れぇぇぇぇぇ！

副社長

お、お2人とも落ち着いてください！

ネーデルラント

おりゃおりゃおりゃおりゃおりゃおりゃおりゃぁぁぁ！

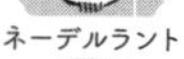

スペイン

どりゃどりゃどりゃどりゃどりゃどりゃどりゃぁぁぁ！

この時代、重税や宗教問題によりネーデルラント北部諸州はついにスペインに対する反乱を起こす。**オランダ独立戦争**の始まりである。

その後、北部は独立を宣言し、それを認めないスペインと争いを繰り広げていく。

イギリスのエリザベス1世さんが参加しました。

副社長：あれ？ 新しい人が来ましたね。

エリザベス：ネーデルラントさん、応援しましょう。

副社長：あ、イギリスさんがネーデルラントを支援し出しましたよ、スペインさん！

スペイン：は!? イギリスの分際でなに茶々入れてくれてんの？ ちっこい島国のくせに調子こきやがって……。やんのか？

エリザベス：ほほ〜いいでしょう。望むところですの！ 秘技！ **私掠船**(しりゃくせん)を発動！

副社長：私掠船ってのは**国の許可を得て商船や港を襲う武装船**の事ですよね。

エリザベス：そう、これでスペインにチクチク攻撃ですわ。

スペイン：ちょ、お前。うちの貿易船襲うとか卑怯(ひきょう)過ぎんだろ。盗んだ銀返せ！

エリザベス：私掠船発動！ 私掠船発動！

副社長：イ、イギリスさんのスペイン船に対する襲撃が止まらないですね。しかも植民地まで襲い始めましたよ！

くっ……、もう我慢ならねぇ！ イギリスぶっ潰す！ 無敵艦隊出撃じゃぁぁぁぁ！

受けて立ちましょう！ かかって来やがれですわ！

イギリス女王エリザベス1世との長年にわたる政治的対立や交易妨害行為に業を煮やしたスペイン王フェリペ2世は1588年、ついにイギリスへの侵攻を決意。最高の祝福を受けた大いなる艦隊——通称「**無敵艦隊**」をイギリス本土へ向かわせる。だが、これをイギリスは**アルマダの海戦**で撃退する事に成功する。

ぐはぁぁぁぁぁぁぁぁ！

はい、雑魚おつーですわ！

はぁはぁ……、まさか負けるなんて。まずい、まだ体力残ってるけど、このままでは……。

おらぁ独立認めろやー！ おりゃおりゃおりゃおりゃぁ！

ちっ、うぜぇな！ どりゃどりゃどりゃどりゃぁ！

あの〜ドイツの神聖ローマ帝国で戦争が起きそうですよ。

え？ ドイツで？

確か神聖ローマ帝国の皇帝ってスペイン王と同じハプスブルク家ですよね？ ほっといていいんですか？

いい訳ねーだろ！ しょうがねぇ、そっちでも喧嘩（けんか）してやんよ。

1618年、ドイツの神聖ローマ帝国でキリスト教宗派をめぐる紛争が起きた。**旧教（カトリック）と新教（プロテスタント）の対立を発端とした三十年戦争**である。当初、宗教対立から始まった三十年戦争だったのが、そこにデンマーク、スウェーデン、フランスなどが新教側として参戦、旧教側のスペインとも対決していく事になる。

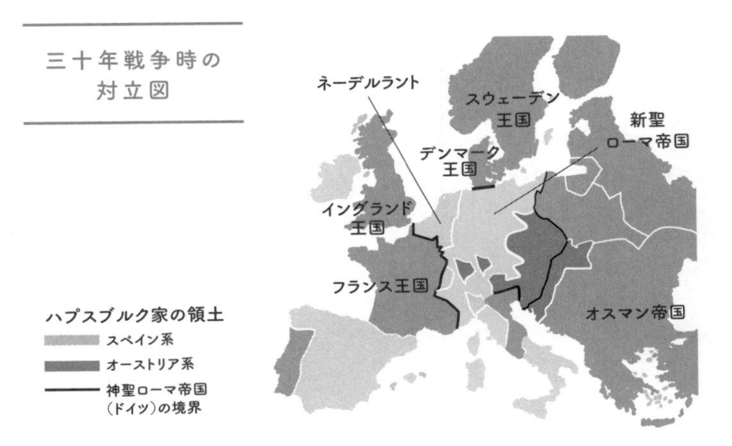

もはや戦争は、ただの宗教対立ではなくバルト海やヨーロッパをめぐる覇権争いへと色を変えていた。その中で神聖ローマ帝国皇帝とスペインはハプスブルク家同士で協力して各国と戦い続けるが……。

フランス・スウェーデン・デンマークさんが
三十年戦争に参加しました。

ちょっと失礼しますよ。

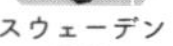

ちょっと失礼しますよ。

ちょっと失礼しますよ。

な、なんだお前ら!? い、いきなり出てきて……。

ちょっとさすがにそんなに相手するの厳しいって。

おりゃおりゃおりゃおりゃおりゃおりゃ！

ちょちょちょっと、待って待っ——。

ぐあぁぁぁぁぁぁぁぁぁぁ！

ぐへぇぇぇぇぇぇぇぇ！

しゃあっ！ 独立承認もろたでぇぇぇぇ！ オランダ共和国爆誕！

三十年戦争でヨーロッパ諸国は主戦場のドイツをはじめ、世界各所の植民地でも戦いを繰り広げたが、1648年に神聖ローマ帝国・スペイン陣営の劣勢のまま講和が成立。ヨーロッパ諸国の間で国際法の起源と言われる**ウェストファリア条約**が締結される。ネーデルラント北部7州は独立を諸国に認知され**オランダ共和国**を成立させた。

こうして本国産業の衰退・オランダの独立・三十年戦争によりスペ

インはかつての栄光を完全に失うのだった。この間に勢力を蓄えて、スペインに代わって世界の海で力を増大したのが新興国オランダ、そしてイギリスとフランスだった。

17世紀から世界貿易をリード！ オランダの快進撃

オランダのアジア交易

17世紀、それまで世界の貿易においてリードしていたスペインに代わり、次第に商業的な主導権を握ったのが**オランダ**だった。オランダは**東インド会社**を設立して本格的にアジア進出する。その後、ポルトガルが衰退すると、インドネシアへの植民計画を進めて香辛料生産を独占、アジア貿易の主導権を握った。また、ヨーロッパ内の貿易――**地中海貿易**や**バルト海貿易**でも中心的な役割を担い、**莫大な利益を挙げたオランダの中心都市アムステルダムは世界の中心として繁栄を極める**事になる。加えて、アフリカのケープ、新大陸のアメリカにも植民地を獲得し、まさに絶頂期を迎えたオランダは「**オランダ海上帝国**」

と呼ばれるようになっていく――。

オランダさんはアジア貿易ではまず何に目をつけたんですか？

そりゃやっぱり、胡椒なんかの香辛料やろ！

やっぱり胡椒はヨーロッパのホット商品なんですね。

そらそやで！ 永遠のロングヒットや!! んで、貿易を取り仕切る為にオランダ東インド会社も建ててバンバン取引したんや。

おお！ 本格的なアジアデビューってやつですね！

がはははは、行くでー！

でも、ちょっと気になるんですけど、確かここら辺って既にポルトガルさんが活動してますよね？

せやな。

そうなるとやっぱ競争になるんじゃ？ 勝てるんですか？

だからインドネシアっていう原産地を押さえるんやで。

副社長

え？ それってどうゆう？

オランダ

ええか、ポルトガルはアジアの流通ルートで活動してるだけなんや！ だから、そこでうちは香辛料を生み出す原産地そのものを確保するんや。

副社長

あー、そうなると香辛料を――。

オランダ

まるっと独占出来るって寸法や！

ポルトガルさんが参加しました。

ポルトガル

おいっ！ 香辛料を独占するのはずるい！ ってか、うちのシマに入ってくんじゃねぇ！

オランダ

ほほぉ？ もはや時代遅れで弱体化してるくせに吠(ほ)えよるのぉ。うん？

ポルトガル

え？ ……いや、だってほらそれは。

オランダ

なんや文句でもあるんかい？ こちとら別にやり合っても……ええんやで。（ニッコリ

ポルトガル

ひぃ！

ああ、かつての元気だったポルトガルさんが見る影もない。

副社長

イギリスさんが参加しました。

あ、イギリスさん、おつです。どうしました？

副社長

イギリス

私もアジア貿易に参加しますわ！ オランダは覚悟なさいまし！

オランダ

おいおい、ワイとやり合おうってのかい？ 独立の時はちょっと助けられたけど……、残念ながら、それとこれとは話が別や。

おう、オランダさん……血の気が多い。

副社長

イギリス

そんな凄んでも私は屈しません！ モルッカ諸島アンボイナ島に商館を設立ですわ！

オランダ

ちょい待ちーや。アンボイナはウチが活動してる所やで。さすがにそれはやり過ぎやろ。

イギリス

いいえ、これは競争なのですわ。そこを勘違いされては困りますわ！

副社長

おーこれはやる気満々ですね。どうするんですかオランダさん？

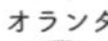
オランダ

ほーそっちがその気ならこっちにも考えがあるわ。

イギリス

な、なんですの？

オランダ

あれれ～？　なんや、おたく日本の傭兵を雇ってワインとこの砦（とりで）を襲おうとしてたらしいな？

イギリス

は？　なんの話ですの？　そんなのただの言いがかりですわ。

オランダ

問答無用ぉ！　拷問（ごうもん）で吐かせたるわぁぁぁぁ。

イギリス

きゃぁぁぁぁぁぁ！

副社長

ちょ、ちょっと待ってください！　拷問して吐かせたとしてもそれが真実かどうか分からないんじゃ!?

オランダ

そんな関係あるかい！「計画した」って認めさせたったらええねん！

副社長

えぇ……。

オランダ

オラオラァ！　襲撃計画したんやろぉぉぉ!?

かはっ！ くっ、そんな事は――。

ほーれ水責めぇ！ 火責めぇ！ オラオラ楽になれぇぇぇっぇ！

くぅぅぅぅごめんなしゃぁぁぁぁい！けいかくしましたぁぁぁぁぁ！

ほな処刑ーーーーッ！

んな、むちゃくちゃな……。

雑魚おつやでー！ イギリスはインドシナからバイバイするやでーｗｗｗｗｗｗ。

オランダがポルトガルから奪ったアンボイナ島にイギリスが商館を設立した事によって両者の対立が激化。そんな時、オランダは不審な日本人傭兵を捕らえて拷問したところ、その日本人はイギリスのスパイだと自白。また、オランダの砦をイギリスが占領しようとしているとも告白した。オランダは直ちにイギリス商館を襲撃すると商館長ら30名のイギリス人を捕らえて拷問し、襲撃計画を認めさせ20名以上を処刑した。これを「**アンボイナ事件**」という。

この事件によってオランダはインドネシア地域からイギリスを追い出し、香辛料貿易などを推し進めていく。

これで香辛料貿易はうちの天下やな！ もっと拡大して、もっと独占しまくったるわ！

副社長：これで香辛料が沢山手に入りますね。

ポルトガル：おい、オランダ！ ちょいと調子こき過ぎじゃねーか？

オランダ：ん？ あんさん、まだいたんかい。

ポルトガル：なんだとっ！

オランダ：おーおー噛(か)みつくのはいいけど、あんた、そのままじゃやばい事になるで。

ポルトガル：は？ それはどういう？

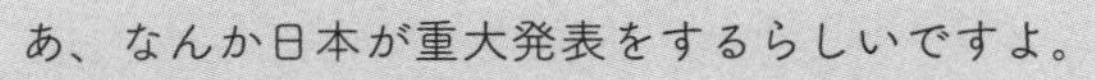
副社長：あ、なんか日本が重大発表をするらしいですよ。

日本：**鎖国政策**を発動！ だが、オランダだけは許す！

ポルトガル：えぇ!? そ、そんなぁ。

オランダ：ほーれ見てみw お前んとこはなぁ、アジアで経済活動だけやのうて、宗教活動もするからアカンのや。

副社長：あー、アジアでキリスト教カトリックを布教してますね。日本でもしてました。

ポルトガル：そ、それの何が悪いんだよ!?

オランダ

新しい宗教は秩序の乱れや戦争の火種になるから、その国の支配者に警戒されやすいんやで。

副社長

確かに日本でも島原の乱とか起きて争いになりましたね。

オランダ

その点、うちは布教活動はせずに**経済活動一本**や。これで相手も安心やろ。

副社長

だからオランダは認められたんですね。

オランダ

そーゆうこっちゃ。因みにここだけの話……島原の乱の時、うちは江戸幕府に協力してるんやで。（ボソッ

副社長

え？ そうなんですか？ なんでまた。

オランダ

日本はキリスト教カトリックを禁止して弾圧してたやろ。それはカトリックとポルトガル・スペインが繋がってたちゅーのが大きな理由の1つだったからや。

副社長

日本はポルトガルなどの勢力が自国に入り込んで、影響力を持つのを懸念したと？

オランダ

ちゅー事はやぞ……、そこでワイが島原の乱で幕府に味方すれば？

副社長

幕府に好印象を残せる。

しかもウチのキリスト教は新教で布教活動もせんときた。

そうなると幕府はオランダなら貿易していいかと思う。事実、そうなったと。

ご明察！ これで日本からポルトガルを追い出す事が出来た上に貿易も独占出来る訳や！ 日本の銀ががっぽがっぽで笑いが止まらん！

オランダさん、したたか過ぎるw

んで、日本の銀を中国とかアジアとの貿易に活用するんや。これでうちはアジアでもっと有利になるで！

そりゃ、アジアで大量の銀を持ってるヨーロッパの国がオランダさんしかいませんから。

そうゆうこっちゃ。よっしゃ！ 仕上げにアジアの貿易優位をもっと確実にさせたろやないかい。

それは具体的に何をするんですか？

アフリカ南端にケープ植民地ってのを作って、ヨーロッパからアジアを繋ぐインド航路を抑えるんやで！

ははーん。これでインド航路の主導権が握れますね。

オランダ

ワイ最強！

ポルトガル

はぁはぁ……。お、おのれオランダめ……こすい事ばかりしやがって。

副社長

ポ、ポルトガルさん!? なんかゼエゼエしてますけど大丈夫ですか？

オランダ

お？ 雑魚ガルさん、まだおったんかいなｗｗｗｗｗ しゃーない、そろそろお前んとこが持ってる東南アジアの植民地をワイが貰って有効活用したるわ。

ポルトガル

え？ は？

オランダ

ほれ、すっとぼけてないで、よこさんかいワレぇぇぇ！

ポルトガル

ひぃぃぃぃやめろぉ！

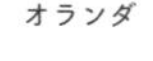
オランダ

なら拳で分からせたるわ。必殺・金にものを言わせたパンチ！

ポルトガル

ぐぅっ!? ゲホッゲホゲホッ――！

副社長

ちょ、これポルトガルさん倒れてますよ。もうそのへんでやめた方が――。

オランダ

ついでに賠償金もよこせぇぇぇぇ！

ポルトガル
いぎぃぃぃぃぃぃぃ！

副社長
むご過ぎる……。

ポルトガルさんが退場しました。

オランダ
wwwww これで海はオランダの天下や！

副社長
既にオランダさんは東南アジア、南アフリカのケープ、西アフリカ、北アメリカにも植民地を持ってますね……。これは凄い！

オランダ
そうやろそうやろ！ しかも地中海とバルト海の貿易もウチが1等なんやで。

副社長
まさに敵なし。よっ！ オランダ海上帝国！

オランダ
アカンアカンwwww よいしょしても何もでーへんでwwww。

【ニュース】ヨーロッパで香辛料の人気が急低下！

副社長
……ん？ あれ？ ちょっと待ってください。

オランダ
ん？ どないしよったん？

なんか今ニュースで、ヨーロッパで香辛料の人気がグングン下がっているらしいですよ。

は？

急成長したオランダはまさに世界の商業覇権を握るに至ったが、問題もあった。それはかつてのスペインと同じで**世界に広がる貿易拠点を維持する資金**である。事実、オランダは世界帝国になったが、アジアや新大陸での貿易利益は少なく、ヨーロッパ内の地中海貿易やバルト海貿易の利益の方がはるかに勝(まさ)っていた。

そんな状態が続いていたオランダだが、17世紀後半、ヨーロッパである変化が起きる。それまで大きな需要があった**胡椒や香辛料の人気が落ちてきた**のだ。これによってオランダの商業覇権はぐらつき始めた。同時に、かつて煮え湯を飲まされた**イギリスの反撃**が始まる。

植民地争いで激突する!? イギリスvsフランス

17世紀イギリスの世界展開

大航海時代の始まり以来、当時、アジア交易で先頭を走っていたのは**ポルトガル、スペイン、ついでオランダ**だった。イギリスとフランスも後に続こうとするが、これが上手くいかない。やっぱり出だしが遅れたのが痛かったのだ。イギリスはインドネシアの香辛料貿易に食い込もうとするが、東アジアで力を増していたオランダに「アンボイナ事件」で追い出され、やむなく拠点をインドに置いた。フランスは17世紀初頭に東インド会社を設立するが、それらしい活動もしないで頓挫する。加えて、アメリカ大陸でも各国に後れを取り、フランスの世界進出は苦難の連続だった。

そんな**イギリス・フランス両国の風向きが変わるのが17世紀後半から**である。フランスは宰相コルベールのもと、重商主義体制を整えてインドに進出し、本格的なアジア交易を開始。北アメリカにおける植民地経営も軌道に乗り始めた。一方、イギリスの追い風になったのが、人気が低迷し始めた胡椒や香辛料に代わって**綿織物（木綿で作られた織物）、コーヒー、茶**などがヨーロッパで人気を集め出した事だった。そして、その綿織物の大きな産地がインドだったのである。

ではイギリスさん、17世紀の状況を教えてください。

状況も何も散々ですわ。他のヨーロッパの皆さんと同じように東インド会社を立てて、アジアに進出したは良いものの……、オランダさんにインドネシアの香辛料貿易から追い出されて……。

アンボイナ事件ですね。真実はさておき競争から蹴落とされましたから大変です。

イギリス

そう……、だからしょうがないので、インドのカルカッタを中心に活動を進めましたの。

副社長

インドと言えば綿織物の産地ですね。

イギリス

そうですわ。当時、産業技術ではヨーロッパよりアジアの方が進んでまして、織物は勿論、陶器なども断然アジアの方がレベルが高かったのですわ。

副社長

なるほど。でも17世紀後半頃から、その綿織物がヨーロッパで人気が出てきたらしいですけど。

イギリス

ズバリそうなのです！ 最近は香辛料より、逆にインド産綿織物の人気がグーン！w

副社長

追い風が吹き始めましたねイギリスさん。

イギリス

ですけど、それでもまだまだ邪魔な輩（やから）がいましてよ……。そう、オランダのタコ野郎ですわ。

副社長

やっぱりまだまだオランダは経済的に強いですか？

イギリス

かの国は独立してから敵国スペインとの貿易も再開してますし、事あるごとに私の貿易を邪魔しますし、バルト海でもでかい顔しやがるのですわ。

イギリス

バルト海は私達の伝統的な市場なのにっ！

オランダ製品は安くて競争力が高いらしいですから、やっぱり強いですよ。

許せませんわ……。そろそろ白黒つける時が来たやもしれません。(ゴゴゴ

ああ、出てるぅ！ イギリスさんからどす黒いオーラが出てるぅ！

そうと決まれば行動あるのみ――ビバ！ **航海法**を発令ですわ！

説明しよう！ 航海法とは**イギリスに関わる中継貿易を禁止した法令**だ。これはイギリスの植民地でも駄目なのである！

だ、だれぇ!?

当時のイギリスにおける共和制のリーダー（護国卿（ごこくきょう））ですわ。ウチは王政に反発した清教徒が**ピューリタン革命**を起こしましたの。つまり、この頃うちは王政が倒れて**共和政**になってましてよ。

まぁ、このピューリタン革命は次の章で触れるとして、先程出てきた中継貿易とは？

クロムウェル

この頃、オランダは他国から産出した商品を一旦買いあさり、それを諸国に売りまくる中継貿易で莫大な利益を挙げていた。つまり航海法とは、**中継貿易で甘い汁を吸うオランダへの対抗**であり、イギリスの貿易を守る事なのだ！

イギリス

いいぞぉですわ！ やっちゃいなさい！

あのぉ盛り上がるのは良いですが、それはオランダが黙っちゃいないんじゃ。

副社長

オランダさんが参加しました。

オランダ

おーおー、なんや？ 明らかにウチを敵視しとるのぉ。

イギリス

敵視？ 違いますわ。オランダの強欲から身を守ってるだけにすぎませんわ。

クロムウェル

まーたお得意の言いがかりか？

イギリスさん……、前の事かなり根に持ってる。

副社長

オランダ

(#^ω^) ビキビキ

オランダ

あー、もうこれライン越えやな……。身の程を分からせたるわぁぁぁぁぁ。

受けて立つ！

さぁ、今こそ積年の恨みを晴らす時！ おいきなさい！

ぼけがぁぁぁぁぁぁぁ。

　競争と対立を続けていたイギリス・オランダは、「航海法」をきっかけに**英蘭戦争**を勃発させる。この戦争ではイギリスもオランダも名提督が活躍した事によって戦況は一進一退を極め、戦闘と和平を繰り返しながら戦争は第三次までもつれ込むのであった。

はぁはぁ……。ちょいと、もうそろそろ喧嘩はやめへんか？

ま、まだまだ……わ、私はやれますわ。

イギリスさん、そろそろやめた方がいいですって。じゃないと共倒れですよ。

フランスさんが参加しました。

|ω・)ﾁﾗ

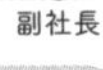

あ、フランスさんがこっちを覗いてます！

ちっ！ めんどい奴が出てきよった……。ほら、フランスが漁夫の利を狙ろてるで！ 和平といこうや！

まぁ、そこまで言うなら仕方ありません。

ふぅ……。

かくして第三次英蘭戦争は終わった。戦況だけ見れば引き分けに近い形で戦争は終結したが、オランダは三次に及ぶ戦争で大きく後退し、海上覇権を手放していく事になってしまう。代わりに**18世紀から強力な海洋国家として力を伸ばしたイギリスが海洋覇権国へと昇りつめていく**事になる。しかし、それは新しい植民地抗争の始まりでもあったのだ。**その争いの舞台になったのが主に北アメリカ大陸**。イギリスの相手はヨーロッパの古き強国フランスだった。

フン♪ フンフン♪

イギリスさん、なんかご機嫌ですね。

分かりまして？ でかい顔してたオランダに身の程を分からせた上に、最近はインドの綿製品、カリブ海の砂糖も好調！ あと北アメリカの植民地経営も順調なんですの。

イギリスさんはこの頃、北アメリカの東海岸に植民地を持ってましたね。

イギリス
ええ、今はそこでタバコを作らせておりますわ。

副社長
へー、後に綿花が出てくるらしいですが、最初はタバコがメインだったんですね。

イギリス
そうですわ。これからもっと、もっと拡大してもっと大量に生産していきますわ！　ホホホホホホホホ。

副社長
いわゆる大規模農園——プランテーションってやつですね。

イギリス
プランテーション最高ですわぁ！

副社長
でも、プランテーションってかなりの労働力を必要としますよね？　イギリス本国からの移民でまかなえるのですか？

イギリス
だから、そこで頑張っていただいてるのがアメリカ先住民の皆さんですわ。

先住民
どもども。

副社長
あ、こんにちは先住民さん。

イギリス
さあ！　寝る間も惜しんでジャンジャン働いて、ジャンジャン生産しなさい！

先住民

あのぉ……、1ついいですか？

イギリス

ん？ なんですの？

先住民

最近ですね、さすがに働き過ぎで倒れる奴が出てきているんですけど。

イギリス

そう……じゃあ、倒れたら次の部族さんを使いなさい。

先住民

え？そ、それはちょっとあんまりな――ケホッ！

イギリス

何か文句がありまして？ ん？

先住民

ケホッケホッ！ ――そ、それにですねケホッケホッ！ ヨーロッパの人が持ち込んだ疫病で僕達大変なんですよケホッ！ もう次から次に仲間が倒れて。

イギリス

……。

先住民

あの、聞いてます？

イギリス

ダマレ……ツベコベイワズハタラケ。

先住民

ひ、ひぃぃぃぃ！

イギリス

働けぇ！ 働けぇ！ 働けぇ！ 働けぇ！ 働けぇ！

副社長
イギリスさん!? 凄い勢いで先住民さんが倒れてますよ！

先住民
……きゅぅ。

副社長
先住民さん!? 先住民さん!?

副社長
あ、あらかたの部族が倒れちゃいましたよ！どうするんですかイギリスさん!?

イギリス
チッ――もう働けないのかよ。(ボソッ

イギリス
しょうがないですわ……アフリカから黒人を買いましょう♪

黒人
あーここはどこですだ？

イギリス
夢の大地！ アメリカですわ！

黒人
へぇ……。

イギリス
さぁ！ アフリカから来た皆さん！ 寝る間も惜しんでジャンジャン働いて、ジャンジャン生産しなさい！

副社長
……。

アメリカ先住民の強制労働は既に16世紀から始まっており、初期はポルトガル領ブラジルにおいて強制労働を強いられていた。次いで1570年からは奴隷貿易も開始され、アフリカから多くの黒人達が連れてこられるようになる。

18世紀以降はヨーロッパで喫茶文化が始まり、砂糖の需要が高まった事によりサトウキビプランテーションが大規模化していくと、苛酷な環境下で多くの先住民、黒人達が命を落としていった。またアフリカとヨーロッパからきた伝染病でも多くの先住民が倒れ、人口はみるみる減少。少なくない部族が地上から消滅してしまう。

プランテーションでの大量栽培、ヨーロッパの生活はこういった奴隷達の命や尊厳と引き換えによって支えられていたのだ。

イギリス
う～ん、北米もインドの植民地経営も順調ですわ～。

フランス
|ω・)ﾁﾗ

副社長
な、なんか視線を感じますね。

フランス
|ω・)ﾁﾗ

副社長
あ！ フランスさんがこっちをうかがってますよ！

イギリス
また出やがりましたわね……。もう、気付いてましてよ！ 堂々と出てきたらいかがですの？

フランス
ねぇ、植民地ちょーだい！ ¥(｀・ω・´)/ｼｭﾀｯ!

副社長

うわぁ、露骨に取りに来てます、イギリスさん！

イギリス

想定内ですわ……。我がイギリスとフランスは長年争い続けている宿命のライバル。いずれ世界の植民地でもこうなるとは思っていましたわ。

副社長

これは避けられない戦いなんですね。

イギリス

ええ。インドでもバチバチ競争していますし、北米でもフランスの植民地が邪魔でしょうがないんですの。

副社長

という事は、イギリスさんにとってもこの喧嘩は――。

イギリス

かかって来い！ ――という事ですわ！

副社長

ま、まだ植民地を大きくしたいんですか？

イギリス

当たり前ですの！ でないといずれ他の国に食われてしまうかもしれませんもの。

フランス

やっぱりくれないの？ ……じゃあボコボコにするしかないよぉ。きっと痛いよぉ（´・ω・`）

イギリス

おあいにく様、こっちもあなたの植民地を奪って差し上げましてよ。……さぁ、覚悟なさいまし！

フランス

くたばってねぇぇぇぇ(∩ﾟ∀ﾟ)∩ age ☆

かつてよりインドへ進出していたフランスは、17世紀から北米にも進出。カナダからミシシッピ川流域にかけて広大な植民地を築いていた。つまり、アメリカ東海岸のイギリス領を囲むようにフランス領が広がっていた訳である。一方、まだまだ西へ進出したいイギリスからしてみれば、このフランス領が邪魔でしょうがない。

イギリス・フランスの植民地をめぐる争奪戦は避けられないものだった。そして、その争奪戦は主に18世紀にヨーロッパで起きた多くの戦争――**スペイン継承戦争**、**オーストリア継承戦争**、**七年戦争**と並行して行われる事になる。ようはヨーロッパで戦争をしながら、世界各地に広がる植民地でもフランスとイギリスの戦争が繰り広げられたのである。

そんな両国の植民地争奪戦だったが、その勝負を決定づける戦争があった。**北米のフレンチ・インディアン戦争**、**インドで起きたプラッシーの戦い**と**カーナティック戦争**だ。この時、フランス軍は現地勢力――インドではベンガル太守、北米の先住民と結んでイギリス軍と対決するのだが……。

フランス：ほら、応援してあげてるんだからちゃんと戦ってよね♪
いくよぉみんなぁぁぁ ٩(。•ω<。)و ﾌｧｲﾄｯ!

ベンガル：へい！ まかしてくだせぇ！ いくぞぉぉぉぉぉ！

先住民：イギリスを祖先の地から追い出せぇぇぇ。

イギリス：フン！ いくら兵を集めて大きくしても所詮は烏合（うごう）の衆。私の敵ではない事を分からせて差し上げますわ！

副社長：あ、大雨が降ってきましたよ！

ベンガル：……あ、あれ!? 火薬が濡（ぬ）れてる!? こ、これじゃぁ、銃も大砲も使えねぇ！

先住民：えーと、弾をこうやって入れて……、火薬も入れて……、あれ、入れるの逆だったかな？

イギリス：ほら見なさいw もう杜撰（ずさん）さが露呈しましてよwww

フランス：な、何やってんの!? もう、バカバカ！ 役立たず！
(｀Д´)ﾉﾌﾟﾝﾌﾟﾝ

イギリス：今ですわ！ 蹴散らしてやりなさい！ どーん！

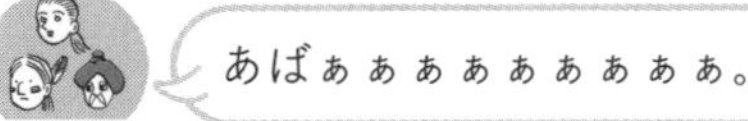

フランス・先住民・ベンガル：あばぁぁぁぁぁぁぁぁぁ。

はい！ 雑魚おつーですわーwwww

く、くそぉ :(´◦ω◦`):ﾌﾟﾙﾌﾟﾙ

あらら？ どうしたのかしらフランスちゃん？ 勝てないねぇ？ イギリス強いねぇ？ ……ん？ そろそろ戦争はやめて差し上げましょうかぁ？

……ぐぬぬ(•̆ω̆•)

勿論ただじゃありませんわ。講和してあげてもいいですけど、その代わりインドと北アメリカからは出ていってくださいましね？ よろしくって～wwww

うぅぅぅぅぅぅ。今に見てろよぉ((◉ω◉`)ｼﾞｰｰｰｯ)

インド・北アメリカで起きた植民地争奪戦は、圧倒的にイギリス優位のまま1763年に両国の間で**パリ条約**が成立する。その結果、**フランスはごく一部を除いてインドから撤退、北アメリカの植民地も全て失う羽目になり**、かたや勝者のイギリスは大きく躍進するのだった。

ほほほ！ 笑いが止まりませんわ！

これでインドと北アメリカはイギリスさんの天下ですね。

イギリス

インドと北アメリカどころか世界的な商業覇権も握りましてよ～。広大な植民地帝国も出来ましたわね。

副社長

すげぇ……。世界の経済も回し始めてる。

イギリス

ほほほ、何より大西洋での三角貿易がはかどりましてよ～。

副社長

三角貿易？

イギリス

本国・アフリカ・カリブ海や北アメリカを結ぶ貿易方法ですわ。

イギリス

まず本国からアフリカに工業製品などを輸出→
アフリカの黒人を積んでカリブ海・北アメリカへ送る→
黒人によって大量栽培した砂糖・タバコやらを本国へ→
みたいなグルグル貿易ですわ！

副社長

隙も無駄もない貿易ですね。相乗効果になってそうです。

イギリス

おかげで莫大な利益を挙げましてよ♪

副社長

絶好調じゃないですか～。

イギリス

ほほほ～もう誰も私を止められないですわ～。

それに気づきましたが、イギリスさん……、近頃メッチャ変わりましたよね？

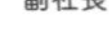

イギリス

あら、お気づきになって？ 実は最近、工業化っていうのを覚え始めて、わんさか大量生産が出来るようになりましたの。

あ、**産業革命**が始まったんですね！

副社長

イギリス

その通りですわ。まだまだ生産出来る製品は限定的ですけど、これから私はもっともっと成長しましてよ。

これは……イギリスさんが、いや、ヨーロッパが大化けする可能性がありますね。

副社長

イギリス

これからの私に大注目ですわ！ ……ただ、それとは別に少々悩みがありまして。

悩み？ どうしたんですか？

副社長

イギリス

ここ最近、植民地をめぐって沢山戦争しましたでしょ？ それでお財布の方が少々心許（こころもと）なくて……。

確かに戦争はバカみたいにお金がかかりますからね。それで解決法はあるんですか？

副社長

イギリス

う～ん……あっ、そうですわ！ 植民地の問題なのですから、植民地から税金をいっぱい取りましょう！

え？

良い考えですわ♪　それでは早速……。

ちょ、ちょいイギリスさん！　そんな気楽な感じでやってもいいんですか？

問題なくってよ♪

……ん？

問題はあった――大いにあった。そして、それはイギリスだけではない。フランスも度重なる戦争などの出費により財政が傾き、その赤字を補う為に敢行した課税は国内で多くの反発を招いていく事になる。ヨーロッパに**市民革命**という国家をひっくり返す大嵐が吹き荒れようとしていた。

18-19世紀

吹き荒れる市民革命の時代

当時、ヨーロッパの主要国は**絶対王政**と呼ばれる体制で国を運営していた。中世にも各国には王がいたが、まだまだ貴族達の力が強く、国家の権力がしっかりと確立されている訳ではなかった。だが15世紀以後から財政･税制や軍を管理する中央官僚制度が整っていき、常備軍の普及もあって各国は中央集権化に成功。16世紀以降、ヨーロッパ諸国は王を頂点とし1つにまとまっていったのである。その政治形態が絶対王政と呼ばれるものだった（全ての国が移行出来た訳ではないが）。

中世の国家（ブドウ型）

絶対王政（リンゴ型）

17世紀、イギリス（イングランド）も諸国と同じく絶対王政を進めていたが、強圧的な政治を行った為、議会が反発。**清教徒革命（ピューリタン革命）**が勃発した。この内乱で勝利した議会派は、クロムウェルをリーダーとする共和制の議会政治を開始。途中、王政に戻る期間もあったが、1688年の名誉革命によって「権利の章典」を国王に認めさせ、立憲君主制の議会政治が確立したのだった。つまりイギリスは、**国王はいるがその権力は限定的で、議会が政治を担っていた**のだ。同時に経済においても王侯貴族お気に入りの大商人がおいしい思いをするのではなく、**比較的に開かれた市場も実現**。これがイギリスの経済発展や後の産業革命にも繋がっていくのだが……。

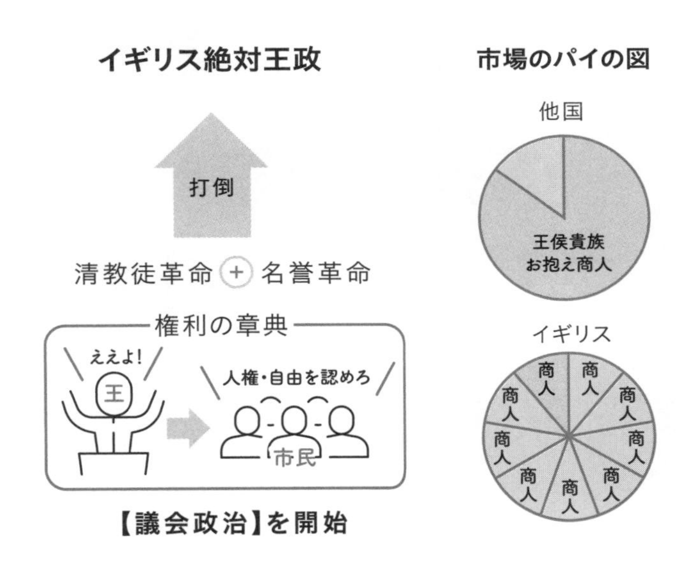

とにかく、そういった完全ではないが他国より平等な市場や議会を重んじるイギリスから独立する地域が現れた。それが**アメリカ合衆国**だった。

「我々の自由の為に！」アメリカ念願の独立

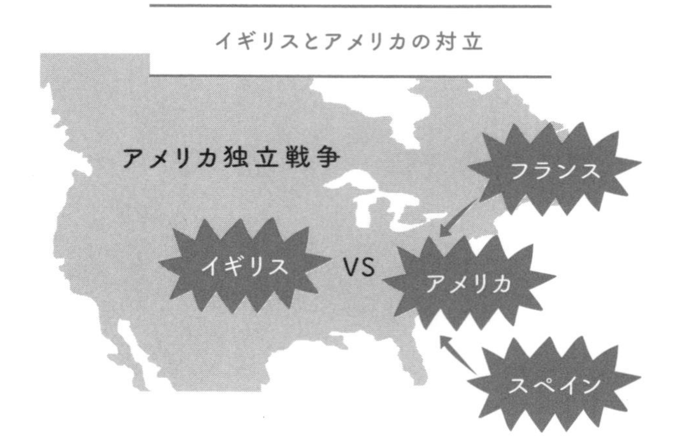

では初めに、18世紀初頭のアメリカさんを教えてください。

俺らはイギリスの13の植民地ってやつで、南部のプランテーションでタバコ、藍（あい）、米やらを作ってんだ。あと北部では製造業や造船もやってんな。

これぞ植民地って感じですね。

まぁ、俺らは植民地つっても住民代表による植民地議会があって、結構な自治が認められてたんだ。

あと、キリスト教の宗派も寛容だし、政治的・経済的にもずいぶん自由だから、イギリス本国から移住する奴も多くてな。

へー、比較的自由にやらせてもらってたんですね。

勿論、本国の意向を無視って訳にはいかないけどな。

そりゃまぁ……そうですよね。

でもよぉ、最近、本国がどうも気にくわねぇ。

植民地戦争の影響で財政難だから税金をかけてきたんですね。

それな。植民地統治の税ならまだいいけどよ。戦費もだぜ。やってらんねぇよ。

まぁ、課税っていうのを快く受け入れられる方がめずらしいですから。

そりゃそうだけどよ。砂糖税とかほざいて外から輸入する砂糖に税金かけるとか、ふざけてんのか？ ええ？

イギリスさんが参加しました。

あ、イギリスさんお疲れさまです！

副社長

イギリス

ご機嫌麗しゅう、皆さん！ 今回はアメリカ植民地さんに伝えなければいけない事があるから参上しましたわ。

アメリカ

？？？

イギリス

今回、新しく議会で「印紙税」を課税する事が決定しましたの。よろしくって？

アメリカ

は？ ちょっと待て――いや、待ってくださいよ。なんすか、印紙税って？

えーっと、印紙は書類にかけられる税金ですね。

副社長

イギリス

植民地で発行される商業上の取引証書、司法上の書類、新聞、パンフレットに印紙を貼りなさいって事ですわ。

アメリカ

おいおい、そりゃマジすか？

イギリス

マジですわ。あとトランプにも貼ってくださいまし。お願いしますね。

アメリカ

そ……、そんなの認められませんって！

イギリス

認めないも何も本国議会で既に決定した事ですのよ。

アメリカ

じゃ、じゃあ、使い道だけは自分らで決めさせてもらえないっすか？ 代表を本国議会に送るんで。

イギリス

いえ、結構ですわ。私が新しい税を有効活用して、皆さんをより良い方に導いてあげますから……。という事で、つべこべ言わず払ってくださいましね。

副社長

おっと……これはまずい事になりそう……。

アメリカ

ふ、ふざけんなぁ！ なんだ？ て事は俺らは何に使うか分からねぇけど、とにかく税金を払えってか!?

イギリス

もう、なんですの？ いきなり喚(わめ)かないでくださる？

アメリカ

いや、断固として声を上げさせてもらうわ！ 代表無くして課税無し！

副社長

うわぁ、めちゃくちゃキレてますよ。さすがにまずいんじゃないんですか、イギリスさん？

イギリス

むぅ……、分かりましたー。そこまでおっしゃるなら廃止してもよろしくってよ。

アメリカ

あたりめぇだ！

イギリス

ですけど――、その代わり、ガラス・茶・鉛に課税しますから。そっちはきっちりしっかり払いなさい。いいわね！

ん？ んん？ んんんんん？

……おいおい、聞いたか？ またふざけた事を言い出したぞ。

ハァ……、あー言えばこう言う――。あのね！ 本国議会の決定は絶対。税を払うのは義務。お分かりになって？

分かりたかねぇやそんなもん！

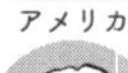

あらそう。ならグーパンでしつけてあげますわ！

度重なるイギリスの対応に不満が高まったアメリカでは反対派の運動が起きてしまう。その抵抗運動を抑える為にイギリスは軍を出動させると、現地で武力衝突に発展し、アメリカ側で死傷者を出してしまう（**ボストン虐殺事件**）。

アメリカさん大丈夫です？

ぐっ!? やりやがったな。

なんですその態度は？ あ、それと言い忘れてましたけど、茶に課税しますが、イギリス東インド会社からアメリカに輸出する茶には課税しませんから。それを買えばよろしくてよ。

アメリカ
そ、それじゃあ意図的な市場独占じゃねぇか!?

イギリス
アーアーアー！　キコエマセンワー。

アメリカ
おい！　ふざけるのも大概に――。

イギリス
アーアーアー！

副社長
無視の仕方が雑過ぎぃ！

イギリス・東インド会社さんが参加しました。

東インド会社
へーい、ウチの茶は安くてうまいよー。

副社長
えぇ……、なんて間が悪いところに。

アメリカ
……こんな茶……。

東インド会社
へ？　なんです？

アメリカ
こんな茶、こうしてくれるわぁぁぁぁ！　海へボーン！

東インド会社
えええええええええ!?

茶取引の独占権に対するアメリカ市民の反発はボストン茶会事件を

引き起こす。マサチューセッツ州ボストン港にある東インド会社の船を襲撃し、茶を海に投げ捨てたのだ。勿論、激怒したイギリスは厳しい対応をとったのだが、これに反発したアメリカ植民地では**第１回大陸会議**を開く。会議では**イギリスの抑圧に抗議し、通商を断絶する事が決定**。両者の緊張はまさに最高潮を迎えようとしていた。

という事で、イギリスさんの所とは通商しねぇから。よろ。

……それはどういう事態を引き起こすかお分かりになって？

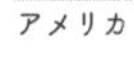

さぁ？ なんの事だか分からねぇな。

イギリス

ﾋﾞｷﾋﾞｷ……。あ、それはそうと最近、何かしら武器を集めているらしいですわね？

いや、知らねぇなぁ。

これが事実ならゆゆしき事態ですわ。ちょっと確かめさせてもよろしくって？

いやだね！ 束縛しか能のねぇ、お気取り野郎がよっ！ほれ、鉛球でも喰らってな。どーん！

あわわわわわわ。

副社長

イギリス

あー、越えました。完全にライン越えですわー。

アメリカ

なんだ？ やるってのか？

イギリス

ぶっ潰して差し上げますわぁぁぁぁぁぁぁぁっ！

1775年、「コンコードの農民が武器をため込んでる」という情報を耳にしたイギリス軍はそれを破壊する為に部隊を派遣するも、抵抗した市民との間で武力衝突を起こしてしまう（**レキシントン・コンコードの戦い**）。そしてこの小競（こぜ）り合いこそが**アメリカ独立戦争の始まり**だった。

副社長

なんか戦況はイギリスさんが有利らしいですね。

イギリス

フフフ、そうですの。所詮は地方の植民地同士が集まっただけの勢力。足並みも揃ってなければ、ちゃんとした軍隊もない。勝てる道理は無くってよ♪

アメリカ

はぁ……はぁ……ぐぅ！

副社長

アメリカさん、気持ちは分かりますが、やっぱり戦争はやめた方が……。

アメリカ

い、いや、やめる訳にはいかねぇ。……思い出せ。俺達が今、欲しがってるものはなんだ？

副社長

欲しがってるもの？

自由だ！ そして、人間は平等だという事実だ！ じゃあ、それを俺達が手にする為に、——守る為に必要なものはなんだ？

武力？……ではなさそうですね。

それは……、断固たる決意だ。ここに我々は宣言する！ アメリカは自由と平等を掲げてイギリスから独立する事を！

戦争中の1776年7月4日、アメリカ独立宣言がなされた。そして、トマス・ジェファーソン、ベンジャミン・フランクリン、ジョン・アダムズら56人が署名し、その揺るがない決意を示した独立宣言書には、現代に続く民主主義の基本的な原理が書かれている。

我々は次の事が自明の理であると信ずる。

全ての人は平等に作られ、創造の神によって、一定の譲る事の出来ない権利を与えられている事を。

その中には生命、自由、そして幸福の追求が含まれている事。

これらの権利を守る為に人類の間には政府が作られ、その正当な権力は被支配者の同意にもとづかねばならない事。

もしどのような形の政府であってもこれらの目的を破壊するものになった場合、その政府を改革し、あるいは廃止して人民の安全と幸福をもたらすに最もふさわしいと思われるようにする事は、人民の権利である事。（以下省略）

勿論、書かれている自由と平等の理念には、まだ疑問が残っている。

なぜなら、この時点では白人とその他の人種の間には差別という大きな溝があるからだ。しかし、それはさておき、**アメリカ合衆国という国はこの独立宣言に示した理念から始まった**。そしてもう１つ、この宣言には狙いがあった。この戦争をイギリスの内乱ではなく、国際的な戦争だとアピールする事だった。

し、しぶとい。ホント田舎者にしては生意気ですこと。

はぁはぁ……。どうした来いよ？　ガタガタ言わせてやんよ。

アメリカさん善戦してる……。まさかこれほど植民地に戦力があるなんて。

それは奴らの裏に誰かがいるに決まってますわ。……まぁ、とっくに気づいていますけど。

フランスさんが参加しました。

|ω・)ﾁﾗ

あ、フランスさんがまたこっちを覗いてますよ!?

大国のくせにコソコソと……。やる事がいつもずるい事ずるい事。

イギリスさん、それ完全にブーメランになるんじゃ。(ボソッ

(((っ・ω・)っﾎｲｯ(((っ・ω・)っﾎｲｯ

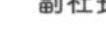

あれ？ なんかフランスさんがどこかに色々と物を送ってますね。

おーっと！ どこからかまた物資が届いたみてぇだな～。これはあったけぇ～。

チッ、さすがに目ざわりですわ。ちょっと！ これは私の国の問題であってあなたには関係な――。

隙ありぃぃ！ おらぁ、**サラトガの戦い**で勝利だぜぇ！

きゃぁっ！

……へへ、これで戦況が傾いたみてぇだな。

お、おのれぇ～。調子に乗り過ぎですわ～。

くらえ！ 独立を邪魔する奴にお腹パンチだー！
¥(｀・ω・´)/ｼｭﾀｯ!

ぐうッ!?!?!?

あー！ アメリカ軍有利になったら、ここぞとばかりにフランスさんが参戦してきましたよ。

待ってたぜ！ フランスさんよぉ。

ぐぬぬぬぬぬ。

ねぇ痛い？w 悔しい？www 焦っちゃってる？ щ(ﾟдﾟщ)

スペインさんとオランダさんが戦争に参加しました。

ちょっと待ってください！ なんかスペインとオランダもイギリスさんに宣戦しましたよ。

えっ？

ちょっと失礼しますよ。

ちょいと失礼するで。

え？ え？ ちょっと待っ――。

なんか色んな国が反イギリスでまとまりつつあります！

今だよー♪ みんなで囲んでボコっちゃえー。
o(≧▽≦)o

おらぁぁぁぁ。独立させやがれぇぇぇぇぇ！

きゃぁぁぁぁぁぁぁぁぁ！

はーい雑魚おつー♪ (。･ω･)ﾉﾞ バイナラ～

当初、劣勢だったアメリカ植民地軍だったが、その驚異的な粘り強さが各国を動かす事になる。**かつての植民地争奪戦での屈辱を忘れてないフランス、フロリダを回復しようとするスペインなど、各国がそれぞれの思惑のもと反イギリスに傾いたのだ。**こうして国際的に孤立したイギリスはアメリカ植民地軍に敗北。1783年、**アメリカの独立**を承認した。

かくしてフランスはアメリカ独立戦争の勝利によってイギリスへの報復を果たした訳だが、自分の首を絞める事にもなってしまう。皮肉な事に、このアメリカ独立戦争がフランスにも革命を呼び込む要因の1つになってしまうのだ。

⚓ フランス市民が打倒・王政で立ち上がった！

18世紀終盤、フランス・ブルボン朝は危機的な財政赤字に陥っていた。宮廷の膨大な浪費、ヨーロッパや植民地で繰り広げた戦争の出費などが国庫を慢性的に圧迫していたのだ。アメリカ独立戦争への介入などまさに火に油を注ぐ行為だった。

ぷぷぷ。イギリスざまぁだね♪(≧ω≦。)プププ

めちゃくちゃご機嫌ですね〜。

うんっ！ ほんっと久しぶりに気分がいいかも〜。

……でも、イギリスをギャフンと言わせたはいいけど、ちょっとお金使い過ぎちゃったかも（´・ω・｀）

あー相当、支援してましたもんね。参戦までするし。

う〜ん……、さすがに苦しいなぁ。うちってもともと財政が火の車だったし。

えぇ!? そんな、どうするつもりですか？

でもねでもね、聞いて！ 1つ良い案があるんだよ。
(o ´ ω ` o)ぅふふ

おっと……、これまでの流れからして嫌な予感がするんですけど。

あのね、特権身分に課税しちゃおうと思うんだー。
d(*・ω・*)b ♪

うん、なるほど〜♪ こいつぁアカンぞ〜(*^ ω ^*)

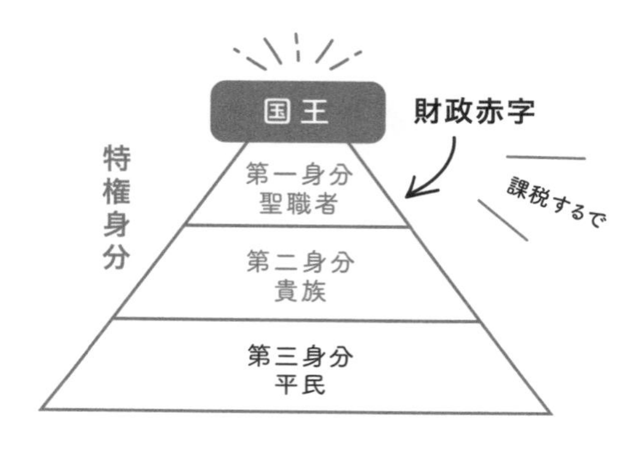

危機的状況を脱する為に、フランス王室はリスクのある財政改革に着手する。１つは**宿敵イギリスと英仏通商条約を結び、両国間の関税を引き下げる事によって経済の活発化を図った**。だが、この試みは大失敗に終わる。既に産業革命が進むイギリスは大量生産が出来た為、安い製品が国内に流れてフランス産の品が売れなくなってしまったのだ。これによって資本家達である富裕層（ブルジョワジー）の不満が高まってしまった。

そして改革の２つ目は、**それまで免税されていた聖職者や貴族などの特権身分――第一・第二身分への課税を試みる事**だった。では、フランスの特権身分とは何か？ 当時、絶対王政を敷くフランスには**アンシャンレジーム**と呼ばれる旧制度の中に３つの身分が存在していた。**第一身分の聖職者**、**第二身分の貴族**、そして**第三身分の平民**である。この聖職者・貴族はさまざまな特権を持っているのだが、国家経済の多くを支えている第三身分は課税だけされて何も与えられておらず、特権身分と第三身分の間には大きな溝があった。高い発言力を持つ特権身分、明らかな不公平に反感を持つ第三身分の平民達、経済政策に不満を持つ富裕層……特権身分への課税はそんな最中に行われようとしていた。

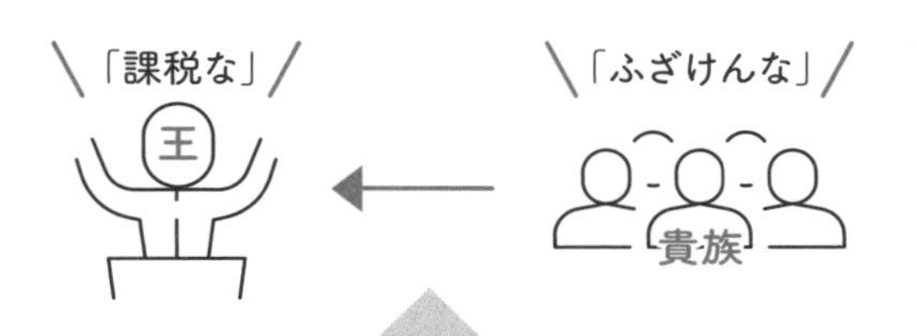

特権身分：うぃ～この特権身分っていうぬるま湯きもちぃ～。

フランス：発表です！ これから貴族と聖職者からも税を取ろうかと思います(*´ω`*)

特権身分：……なん……だと？

副社長：おぅ、一気に空気が変わりましたね。

特権身分：いきなりこのぬるま湯から出ろって……そんなのあり？ 許せる？

副社長：はぁ……。まぁ、僕はなんとも。

特権身分：許せないよな？ 平民に新しく課税するならまだしも、ぬるま湯で気持ち良くなってる我々に課税？ ……これは王をギャフンと言わせなければ。

フランス

なにブーブー言ってんの？ なんか問題でもあるのかな。（ｏ・ω・ｏ）？ﾎｴ？

特権身分

大ありだ！今こそ権力の横暴を阻止せねばならない！

平民さんが参加しました。

平民

そうだそうだ！ もう王が好き勝手な政治をするのは認めねぇ！

特権身分

うんうん。

平民

俺らの上であぐらかいて温々してる特権身分もいらねぇ！

特権身分

そうだろそうだ！――えっ!?

平民

今こそフランスは生まれ変わらなきゃだめだ！ よっしゃぁいっくぞぉぉぉ！

特権身分

え？ え？

フランス

ん？ ん？

平民

フランスは王や貴族のものじゃない！ 俺達の祖国なん

だ！ 国民議会どーーーーーん！

平民さんの名前が【議会】に変わりました。

へ、平民さんの代表が議会を作っちゃいましたよぉ。

なに？ なに？ どうしてこうなった？

憲法も生み出してやるぞぉ！ うぉぉぉぉぉぉ！

なんか特権身分への課税から思わぬ方向に話が転がってますね。

うぉぉぉぉぉぉ！ けんぽおぉぉぉぉぉぉぉ！

これはまずい！ まず過ぎる！ 王様、議場を封鎖した方がよいですぞ!?

あわわわわわわ、封鎖封鎖！ o(゜д゜o ≡ o゜д゜)o

無駄だ！「**テニスコートの誓い**」を発動！ これは議場が封鎖されようと俺達は憲法を作るまで解散しないという誓い！ そんなチクチク攻撃なんて効かねぇ！

誓った場所がテニスコートだったんですねー！

フランス

わ、分かったよ、国民議会？ 憲法制定？ いいかも！

議会

うぉぉぉ！ 認めるんだなぁぁぁぁぁ？

フランス

……いや、なんかまずそう！やっぱなし！
ヾ(;´Д`●)ﾉぁゎゎ

議会

なんだとぉぉぉぉぉぉ！

副社長

ちょっと、めちゃくちゃ怒らせちゃいましたよ。

フランス

へ、兵隊さん！ こいつらどうにかしてよぉ！

議会

今こそ我々の怒りを知れ……！ みんな武器と弾薬をうばえ！ **バスティーユ牢獄（ろうごく）**を襲撃だぁぁ！

市民

ヒャッハー！

フランス

はわわわわわわ(；ω；))ｵﾛｵﾛ((；ω；)ｵﾛｵﾛ

副社長

これはいけない、このままだとこの衝撃は全国に飛び火しますよ。

議会

もう遅い。一度溢（あふ）れた怒りはもう戻らない！

市民

ヒャッハー！ 金持ってる奴はよこせぇぇぇぇ。

ぐぁぁぁぁぁぁぁぁぁ。

あ、各地の庶民が領主だけじゃなくて商人も襲い始めましたよ！ 議会さん！ こ、このままだと収拾がつかなくなりますって！

議会

むぅ、確かにこれはやり過ぎだ……。よし、封建的諸特権の廃止！

なんですか？ それ？

租税上の特権、領主裁判権、教会の十分の一税、死亡税などを吹き飛ばしてやったんだ。

という事は……？

今までの古びた不平等が無くなった訳だ。

おお！ これで暴動も収まりますかね。

いやまだだ！ 今こそ……、今こそ、祖国に新しい光を照らさなきゃならない。出でよ！ フランス人権宣言！

1789年、**フランス革命**が始まった。平民である第三身分が打ち立てた国民議会は憲法制定を国王**ルイ16世**に要求し、国王側も一旦は承認するものの最終的には軍隊を集結させた。これに刺激されてしまったパリ市民は、その熱狂のままついに爆発。武器・弾薬があると思われていた**バスティーユ牢獄襲撃**を敢行。その襲撃の中で多くの宮廷貴族が逃亡し、屈服したルイ16世は国民議会に出席して和解を宣言するのだった。

この一連の事件は決して大規模なものではなかったが、事態は思わぬ方向へ転がっていく。事件の熱がフランス各地に広まり、農民による暴動を引き起こしてしまったのだ。さすがに焦った国民議会は暴動を抑えようと、**封建的諸特権の廃止**を宣言する。この結果、どうにか暴動を抑える事に成功した。

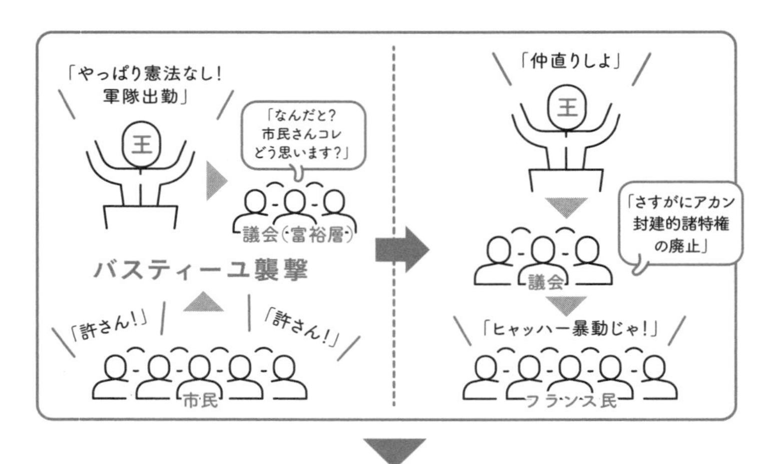

議会による政治
フランス人権宣言を採択

そしてバスティーユ牢獄襲撃から1カ月後、国民議会はフランス人権宣言──「**人間と市民の権利の宣言**」を採択した。17条からなるこの宣言では、近代の市民社会における基本原則を謳(うた)っている。ただ、1つだけ言っておくと、フランス革命は王政に苦しむ貧困層の平民が主導して起こした訳ではない。王政に対する富裕層の不満が貧困層にも影響を与えて起こった革命なのだ。だから人権宣言にも多分に富裕層が得する内容が含まれている。

こうした富裕層（ブルジョワジー）に煽られた市民達の熱狂の中でフランス革命が始まった訳だが、決して順調だった訳ではない。国内には問題も山積みのまま残っていたし、政治的な方針をめぐり、革命は混乱と迷走を繰り返していく事になる。

その激流の中で国王ルイ16世とその妃であるマリー・アントワネットがギロチンによって処刑される事になる。

ヨーロッパの秩序が崩壊！ ナポレオン戦争

フランス革命はヨーロッパ諸国に強い警戒感を抱かせた。旧体制が破壊され、国王まで処刑されてしまったのだ。これは未だ王侯貴族が国を支配している諸国にとっては恐ろしい事態だった。放っておいたらフランスの革命思想が広まり、自国の体制も壊れるかもしれないからだ。そしてオーストリア・プロイセン・イギリスなどの諸国は大同盟を結んでフランスの革命政府を打倒するべく戦争を起こし始める。

対仏同盟

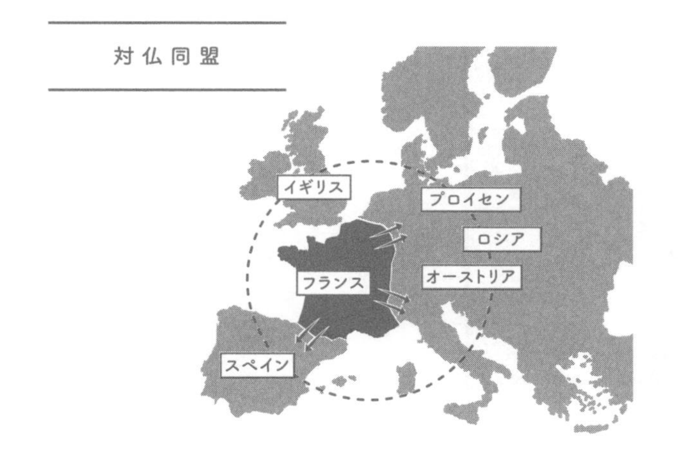

フランス

うぃ〜。革命で新しく生まれ変わった新生フランスだよ♪よろ(=ﾟωﾟ)ﾉぃょぅ

オーストリア

なにが革命だ！ こちとら君主政！ 王政が一番に決まっておるではないか！

プロイセン

そうだ！ 革命なんてぶっ潰してやんよ！

副社長

うわぁ、周辺国がメチャクチャ喧嘩腰ですね。

フランス

ふぇ〜ん！ やめてよ〜あたしイメチェンしたばっかりなんだよ〜。ﾟ(ﾟ`ω´ﾟ)ﾟ。

プロイセン

ふははは、安心しな！ ひと思いにひねり潰してやらぁ！

フランス

ちょっと〜しつこいとパンチしちゃうぞ〜。

プロイセン

ふん！ そんな訳も分からない政治体制の奴のパンチなど――。

フランス

えい〜 0(`・ω・´)=○

プロイセン

ほげぇぇぇぇぇぇぇぇ！

オーストリア

な、なにぃ!?

フランス：あれ？ なんだろうこのパワー？(O'ω'O) ん？

副社長：それは……、**愛国心**ってやつかもしれませんね。

フランス：愛国心？

副社長：他国の兵は大体、王がお金と恐怖によって縛っているだけ——つまり軍は王や皇帝の所有物だけど、革命フランスさんとこは市民が自分の国を守ろうとしている兵なんです。

フランス：そっか……これが私の新しい力なんだね。
ﾟ+.(o,, ″ω″)o ｽｺﾞｫ～ｨ

オーストリア：これは一体、何事だ……何やら得体の知れない寒気を感じる。

【ニュース】フランス国王ルイ16世さん、処刑される。

プロイセン：ええっなに!?

スペイン：こ、これはまずい……もし革命思想がうちにも広がったら……。

イギリス：他の国でも革命が起きるかもしれないですね～。(ボソッ

オーストリア：ん？ イギリス殿？

そうなったら皆さん王侯貴族の地位も危なくてよ。国もめちゃくちゃになりますわ。

じゃあ、やっぱ奴はシメといた方がいいな。

だからみんなで革命フランスを倒しましょう。私も協力しますわ。

おお、なんと心強い！ これで大技を飛ばす事が出来るわ！

いっくぞ～合体！ 対仏大同盟！

うわぁ、フランスさん！ ヨーロッパがかつてなく協力し合ってますよ!?

フランス

も～、みんなで寄ってたかって～、イジメはよくないんだぞ～ε -(;-ω- A ﾌｩ……

ぬかせ！ 今こそ正義の鉄槌(てっつい)を喰らわしてくれる！

んじゃ、いっくよ～ o(> ω ω <)o

国家総動員！ 徴兵制からの大兵力！ 国民軍の爆誕！

ふん！ そんな新技に惑わされるものかｗｗ

フランス
くらえ♪ 鋼鉄、火力、愛国心だけのパンチ！
O(｀・ω・´)○

欧州諸国
ほげぇぇぇぇぇぇぇぇぇぇ！

副社長
なんかフランスさんがとんでもない事になってるぅ！

欧州諸国
ま、まだまだ倒れる訳にはいかない……。俺達は王政を守らなきゃいけないんだ！

フランス
しつこいなぁ～。さすがに連戦は疲れるよ～。それに政府がグダってるし (=´ω`=)y ―┛

ナポレオン
ここは私に任せてもらおう。

副社長

いや、誰ぇ～!?

フランス
あ、最近、戦争で勝ちまくってる評判の将軍さんだね～。よっしゃ任せたよ！ やっちゃえ♪

欧州諸国
笑わせるな！ そんなポッと出が勝てるほど俺らは甘くはない！

ナポレオン
祖国を愛する兵達よ！ 私に続けぇぇぇ！

欧州諸国
ほげぇぇぇぇぇぇぇぇぇぇぇ！

フランス
キタ――――(゜∀゜)――――!!

フランスと欧州諸国との革命戦争において頭角を現したのがナポレオンだった。彼は**対仏大同盟**を結成して挑んでくる諸国を相手に連戦連勝を重ね、名声と人気を勝ち取っていく。1799年には**ブリュメール18日のクーデター**によって臨時政府を樹立。独裁的権力を握ったナポレオンは1804年にフランス民法典――**ナポレオン法典**を制定した。この新しい法典は後に近代化に進むヨーロッパの民法に多大な影響を与える事になる。

そして同年12月、フランス皇帝の地位についたナポレオンは、次第にヨーロッパ制覇の野望を剝き出しにしていくのであった。

副社長
ナポレオンさん、皇帝になったらしいですね。

ナポレオン
うぃ。

副社長
でも、王政を倒して今の革命フランスになったんですよね？ それで皇帝はちょっとまずいんじゃないんですか？

ナポレオン
問題ない。私は国民投票によって皇帝に選ばれたのだから。

フランス
そだよ～。私達が望んだんだよ～♪ Σb(｀・ω・´)ｸﾞｯ

副社長
それだけナポレオンさんにみんな期待してたんです

ね。

欧州諸国

ちょっと待ったぁ！

副社長

うぉっ、また来たぁ!?

フランス

ほんと懲りないねぇ。そろそろ諦めないの？
(*￣-￣)y―┛~~

欧州諸国

うぉぉぉぉ！ 再びのぉぉぉぉ対仏大同盟！ 今回の我々はひと味違うぞぉぉ。

ナポレオン

ふーーーーん！

欧州諸国

ぎょぇぇぇぇぇぇぇぇぇぇぇ！

フランス

はい！ 雑魚おつー m9(・∀・) ﾋﾞｼｯ!!

プロイセン

＼(^o^)／ｵﾜﾀ

オーストリア

＼(^o^)／ｵﾜﾀ

副社長

ああ！ 次々と各国が敗北していく！

ナポレオン

よし！ まだまだ行くぞ！ このまま欧州制覇するのだ。

フランス

するのだ♪――――(´ρ`*) ｺﾎﾝｺﾎﾝ

ん？ あれ？ フランスさん？

本格的な侵攻を始めるナポレオンに対し、諸国は第五次まで対仏同盟を結成するが、フランス軍の前に悉（ことごと）く敗北して同盟は崩壊した。一方、連勝によって勢力を拡大したナポレオンは、欧州制覇の目前まで迫った。

しかし、その連勝は代償をともなう事になる。途切れる事のない戦争によりフランス軍が疲弊し、国内外からも反発が出始めてしまったのだ。既にフランスは限界に達しようとしていた。そんな情勢悪化の中、ナポレオンは敵対した東の大国ロシアへ遠征を開始するが……。

はぁはぁ……、コホッ！ コホコホッ！
(||´Д`)o=3=3=3

大丈夫ですか？ なんか具合が悪そうなんですけど。

さ、さすがに戦争のやり過ぎで疲れちゃったかも。
(o ´ д `o)=3

でも、ナポレオンさんはロシア遠征の真っ最中ですよね？

うん……。しんどいけどモスクワも落としたし……、調子は良いはずだよ。

そうなのだ、あと少しでロシアはきっと屈服するはず。

あと少しで……。

ゼェ、ゼェ……。残念だったな！ モスクワは落とされたのではない。自ら手放したのだ。お前らフランス軍をロシア深くに引きつけておく為にな！

負け惜しみおつｗｗ 見ればそっちもボロボロじゃない？ 惨めな姿でそんな事言っても説得力の欠片（かけら）もないよ？

くそ！ このままでは。

あのぉ、ナポレオンさんはめちゃくちゃ焦ってますけど？

え？ どうしちゃったの？Σ(=ﾟωﾟ=;)

……あれ？ なんだかメチャクチャ寒くないですか？

この時を待っていた……。来たれ！冬将軍!!

ヒェェェェェェェェェ(((´ﾟωﾟ｀)))ｶﾞﾀｶﾞﾀ

ま、まずい!? 撤退だ！

ナポレオンのロシア遠征は大失敗に終わった。フランス軍は撤退中、襲いかかる寒波とロシア軍の追撃によって凄まじい数の兵が倒れ、軍はなす術（すべ）なく崩壊してしまう。勿論、この状況をフランスに煮え湯を飲まされた各国は見逃すはずがなかった。

この時を待っていた！ みんなぁ６度目の正直だ！ だいろくじぃたいふつぅだぁいどぉうめぇ！（第六次対仏大同盟）

チッ、劣勢になった途端これか……。仕方あるまい、迎え撃つ！

俺達の国は俺達で守る！ 他国の支配は受け入れない！

え？ ……な、なんか敵国の王や貴族だけじゃなく、各国市民までも反フランスで燃えてますよ!?

ま、まさかそんな事が……。どういう事だ？

あっ!? 革命でフランス市民が変わったように、他の国の市民も変わり始めてます！ これは……こ、国民意識が生まれてる!?

なんだこのパワーは？ これが……国民意識に目覚めた民の力!?

我らが祖国を救えぇぇぇぇぇ！ 諸国民戦争だぁぁぁ。

恐ろしい、なんて危険なパワーだ……！ だが、これで勝てる！

フランス

うう……もう無理……ぶっ倒れちゃいそう……。
_(_´ω`)_だるい。

副社長

わぁ！ フランスさんがもう駄目ですぅ！体力がほぼゼロですぅ！

欧州諸国

だからこそ、今叩くんだよぉぉぉぉぉ！

ナポレオン

がぁぁぁぁぁぁ。

フランス

＼(^o^)／オワタ

欧州諸国

ふはははは我々の大勝利だ！

副社長

おお、逆転しましたね。一時はどうなるかと思いましたが……。

欧州諸国

終わりよければなんとやらだ！

副社長

それにしてもナポレオンさんのおかげでヨーロッパがゴチャゴチャしちゃいましたね。

欧州諸国

むぅ、確かにこれではまずい。王侯貴族がウハウハだったあの頃のヨーロッパを、秩序を取り戻さなければ！

欧州諸国

いでよ！ ウィーン体制！

うぉ！ なんですかそれは!?

これはフランス革命前のヨーロッパ秩序を復活させるための政治体制だ。

つまり、あの頃のように王侯貴族が幅をきかせてた絶対王政を取り戻そうと？

言い方が気になるがそういうことだ。

よぉぉぉし！ これでまた思う存分、王政が出来るぞぉぉぉぉぉ。

うん？ いや、それは無理なんですけど……自由と平等をもう忘れられないんですけど……。

連合軍に敗北したナポレオンは歴史の表舞台から消えた。

その後、勝利を掴(つか)んだヨーロッパ諸国は、ナポレオンによってメチャクチャにされた秩序を取り戻すべく、**ウィーン体制**という国際秩序を生んだ。その目的はどこか1国が飛び抜けた力を持たないように勢力均衡を図る事。また、革命を起こしかねない市民の自由・平等の精神を抑え込み、王族貴族が国を支配する時代を再び復活させるのが目的だった。つまり、**歴史の針を旧時代に戻そうとした**訳だ。

しかし、ナポレオンの侵略によって諸国にもたらされた自由・平等の精神はもはや消滅させる事は出来なかった。ヨーロッパ諸国の民衆は目覚めようとしていた。国は決して王や貴族のものではなく自分らの国だという事、自分らがそこに住む国民である事、国を守るのは自分達である事を。

高まるナショナリズムとドイツ帝国の誕生

19世紀初頭、ヨーロッパ各国では市民が国民意識を高めてナショナリズムが高揚した。それによって19世紀以降、王侯貴族が支配する国々で革命が起き始める。その熱はヨーロッパだけでなく植民地にも広まり、ラテンアメリカでは独立運動が活発化。もはやその波をヨーロッパの王や貴族は止める事など出来なかった。

各国には革命の嵐が吹き荒れ、政治形態を共和制や立憲君主制へ移行させると、議会の整備、憲法の制定、選挙の実施が取り組まれていった。そして、**そのうねりの中で新たな国家が誕生する**——それが**ドイツ帝国**だった。

※ハイチ・ヴェネズエラ・アルゼンチン・チリ・ブラジル・コロンビア・メキシコ・ペルー・ボリビア

副社長

えーと、ドイツさんって有名ですけど、これまで登場しなかったですね？

ドイツ

いやいや、だってまだちゃんとした国じゃないないもん。

副社長

そうなんですか？

ドイツ

一応、ドイツって地域的な枠組みはあるけど、中には大小さまざまな領邦国家ってのが乱立している状態なんだよ。だからちゃんとした統一国家ってのが無かった訳。

副社長

バラバラだったんですね。

ドイツ

でもさ、ナポレオンに支配された時に国民意識が目覚めた訳だ。俺らはドイツの国民なんだって。そうなったらいつまでもバラバラじゃだめだろ？

副社長

確かに……。

ドイツ

てな訳で、俺らはフランクフルト国民議会ってのを開いて、統一を本気で考える事にした訳よ。

副社長

おお！ これで統一に向けて大きく前進ですね！

ドイツ

でも、これだけバラバラな領邦をまとめるのは大変だよ。こうなったらやっぱり統一を強く引っ張っていく人が欲しいわなぁ～。

よし、その役は我がやろうではないか。

オイラがやるよ。

ん？

ん？

あらら立候補がかぶっちゃいましたね。

いやいや、ここはドイツで最も大きく、最も伝統と権威がある我が適任であろう？

いやいや、今求められてんのは伝統じゃないから。強力な指導力だから。

あの〜、プロイセンとオーストリアって国ですよね？なんでこの２人がドイツ統一の話に出てくるんですか？（ボソッ

昔、ドイツには神聖ローマ帝国っていうのがあって、今の領邦国家は元を辿ればそこの貴族領なんよ。んで、帝国の皇帝だったハプスブルク家が今のオーストリアの兄貴。そして帝国のブランデンブルク辺境伯っていう大貴族が今のプロイセンの兄貴になったって訳。

じゃあ、どちらもざっくり言えばドイツの一部なんですね。

そう、クッソややこしんだ、これが……。

確かにややこしいですね……。

てか、もうオーストリアさんはドイツに入れるのやめね？

何を馬鹿な事を……、なぜそうなる？

だってオーストリアさんって、中にドイツ人だけじゃなくて他にも色んな民族抱えてるでしょ？ そいつらもドイツに入れるのはちょっとなぁ〜。

あれってどういう事ですか？(ボソッ

ようするにオーストリアの兄貴って体はドイツに入ってるんだけど、手足が外に出ちゃってるのよ。しかもそこはドイツ人じゃないっていう。その、はみ出た部分をどうするかで今揉めてる訳。

オーストリアさんの手足をドイツに入れるかどうかで口喧嘩してると。

まぁ、そんなとこかな。

やっぱりドイツはドイツ人だけじゃないと〜。

それなら我が国のドイツ人はどうなる？ 我らを入れなければ真のドイツ統一ではない。

アンタんとこを入れたら、それこそドイツ人だけの統一にならいないね！

じゃあどうしろというのだ!?

だからオーストリアはいらないって言ってんの！

ぐぬぬぬぬぬぬぬ！

ドイツの統一方針は真っ二つになった。**プロイセン主導のもと、オーストリアを排除して統一を目指す小ドイツ主義**と、**オーストリアが主導する大ドイツ主義**である。ドイツ統一の目的は一致していたが、両者の意見は分裂し、対立を深めていく事になる。勿論両者ともドイツ統一後の主導権を握りたいという思惑があるのだが、それがより両国の緊張を高める事になる。そんな状況を受けて、プロイセンの首相**ビスマルク**は将来の戦争に備えて軍備拡張を行おうとするのだが……。

緊迫した情勢は分かるが、めっちゃ金がかかるし、憲法違反じゃないですかこれ!?

確かに戦力をアップしても相手を刺激するだけです

副社長

し。戦争を誘発しかねませんよ。

ビスマルク

お前らは何も分かっていないっ！

プロイセン議会

ッ!?!?!?

こ、声でかっ！

副社長

ビスマルク

ドイツが今求めているのは我が国の自由主義ではなく力なのだ！ 今の問題はもはや言論や民主主義の多数決では解決しない！ 鉄と血によってのみ解決するのだ！

鉄と血によって解決する——すなわち武器と兵によって解決すると彼は言っている訳である。そんな鉄血宰相ビスマルクのもと、プロイセンは武力によるドイツ統一を目指した。これをビスマルクの**鉄血政策**という。そして1866年、オーストリアとプロイセンの間でドイツ統一をめぐる**普墺戦争**が勃発した。

オーストリア

ドイツ統一をするのは我々である！ 出しゃばるでなぁぁい！

プロイセン

邪魔なのはあんただよ！ 消えてなくなりなぁぁぁぁ。

お互い譲れない戦いですよこれ！

副社長

しかも2人とも強国同士だから長期戦になりそうです。

副社長

プロイセン
鉄道による進撃！シューン！

オーストリア
え？……い、いつのまに我の懐に!?

副社長
は、速い!?

プロイセン
じゃああばよ！ 新式銃による火力パンチ！

オーストリア
ほげぇぇぇぇぇぇぇぇぇぇぇ。

プロイセン
はい、雑魚おつー！

副社長
えええええええ!? な、７週間で終わっちゃいましたよ!?

ドイツをめぐる周辺国の情勢

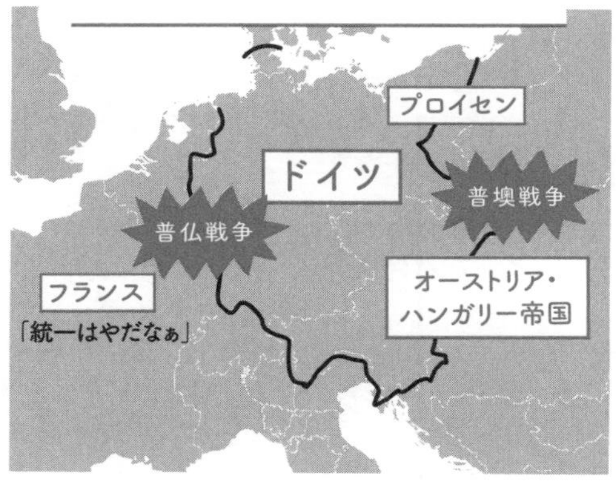

ナポレオン戦争後期からビスマルクまでの軍制改革によってレベル

アップしたプロイセン軍は強く、オーストリア軍はなす術無く惨敗した。ちょっぱやの**7週間**で終結したから、普墺戦争は別名**7週間戦争**とも呼ばれる。かくして戦争は終結し、強力な武威を示したプロイセンを盟主とする北ドイツ連邦が成立。ドイツは統一へ向けて大きく前進する事になる。

めちゃくちゃ強かったですね!?

おう、この鍛え上げた腕力！ 磨き上げた技！ こいつにかかれば雑魚トリアなんて一発よ！

となるとドイツ統一は見えてきましたね。時間の問題というか。

いや、まだだ。実は統一の前にもう1人、倒さなきゃいけない相手がいるのさ。

|ω・*)ﾁﾗ

うぉぃ、びっくりした！ フランスさんいたんですか？

やだなぁ……。私の隣にドイツっていうとっても強い統一国家が出来ちゃうのやだなぁー|ω・)ｼﾞｰ

おい、出てこいよ。いずれはどっかで茶々入れてくんだろ？ なら今のうちに決着をつけてやんよ。

よーし！ 潰しちゃうぞ～¥(｀・ω・´)/ｼｭﾀｯ!

い、いいんですか？ オーストリアと戦争してから間もそんなにないですし、ドイツ連邦もまだ成立したばっかりですよね？

いいんだ。ドイツをより強固にまとめるには敵が必要なのさ。共通する敵がいれば結束も固くなる。それにな……。

それに？

ナポレオン戦争の借りをちょうど返したかったからよぉぉぉぉ！

ドイツなんて一生バラバラでいちゃえぇぇぇ！
0(｀・ω・´)=○

おりゃおりゃおりゃおりゃおりゃぁぁぁ！

くらえくらえくらえくらえくらえぇぇぇぇぇ！

フランスさんと言えば昔から陸軍最強国と呼ばれる強敵。この戦い、さっきオーストリアさんがやられた時とは訳が違うんじゃ？

まぁ見てなっ！ 鉄道による進撃シューン！

や、やっぱり速い!?

副社長

ドイツ領邦

よっしゃぁ！ うちらもプロイセンの兄貴に続けぇぇ！

フランス

ほへ？ Σ(=゜ω゜=;)

ドイツの元領邦国家の皆さん!? ずっとバラバラだった勢力がフランスとの戦争で1つにまとまってる!?

副社長

プロイセン

そう、これが新生ドイツの力だ。砲撃の火力パンチどーーーーん！

フランス

いやぁぁぁぁぁぁぁぁぁ！

プロイセン

はい！ 雑魚おつー！

プロイセン……いや、ドイツつよぉっ！

副社長

ドイツ統一を進めるプロイセンとそれを阻止したいフランスが対決した普仏戦争は1年も経たずに終結する。結果はプロイセンの圧勝だった。しかも戦争中の1871年、プロイセン王ヴィルヘルム1世が皇帝に戴冠され、**ドイツ帝国が誕生**していた。プロイセンは宿願のドイツ統一を成し遂げたのだ。またドイツは普仏戦争で得た多くの利益――アルザスとロレーヌの資源・莫大な賠償金を産業に投資し、目覚ましい発展をしていく事になる。

こうした統一国家・国民国家の形成はドイツだけではない。バラバラだったイタリアも**サルデーニャ王国**のもとで統一を成し遂げていた。アメリカも1861年から勃発した**南北戦争**を経て連邦の統合を強め、勝った北部が主導して工業化を進めた。

そんな革命や統一が繰り広げられた19世紀のヨーロッパにおいて常に独走を続ける国家があった。それが**最も早く産業革命を成し遂げた海洋国家イギリス**である。

世界経済を大きく加速させた「イギリスの産業革命」

さて、19世紀のイギリスの躍進を話す前に**産業革命**について話さなければならない。時代は遡って18世紀、イギリスではある問題に直面していた。当時、植民地のインドから入る品質の高い綿織物が人気で多くの需要を誇っていたのだが、その半面、イギリス国内の毛織物は売れなくなってしまい、この問題を解決する方法を探り出そうとしていた。

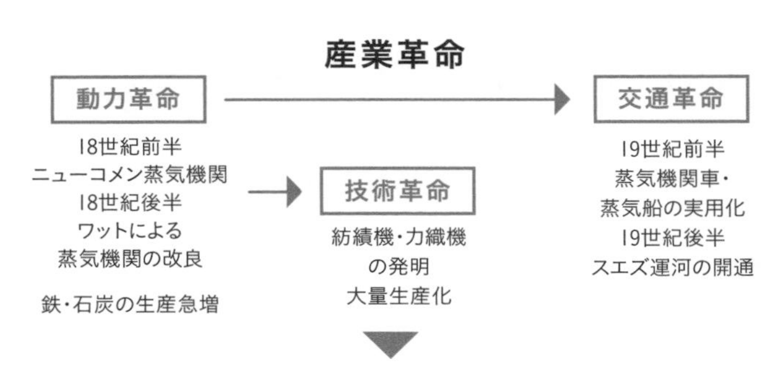

じゃあ、19世紀でメッチャ強いイギリスさんのパワーの秘密、産業革命について聞きたいのですが。

ほーほっほっほっほ！ よろしくってよ～。

この産業革命はまず綿織物がきっかけだったって小耳に挟んだのですが？

その通りですわ。ちょっと前にヨーロッパでインドの綿織物の人気が出たのは話しましたでしょ？

あ～、なんか香辛料より綿織物とか茶が人気になったんでしたっけ。

イギリス

そうそう、人気が出て需要がクッソ高まったのはよかったのですけど……、そうなると自国の毛織物が売れなくなってしまって。

それじゃあ毛織物産業が困っちゃいますね。

そこで考えましたの。なら国内でも綿織物製品を作りましょうって！

結構どストレートですねw。

でも、問題がありましてよ……。もう綿織物の需要があり過ぎまして。しかも当時は綿製品を作るのは手作業！

あー、当時の技術のままじゃ需要に追いつかなかった

訳ですね。

ですわ～。という事で新しい生産技術を求めたのですけど、そしたら、出てくる出てくる、新しい生産技術が！ **ジェニー紡績機**でしょ、あと**水力紡績機**――ようは速く、効率よく糸を作る機械が出来ましたの。そして極めつけは**蒸気機関**！

蒸気機関――ボイラーで発生させた蒸気エネルギーを利用する仕組みですか。

その蒸気機関で動く機械を利用したところ……、**安価で大量の製品生産が可能**になりましてよ～♪

しかもこの技術って他にも転用出来ますよね。

それな、ですわ！ 次第にさまざまな製品の大量生産も出来るようになっていきますの。他の繊維産業は勿論、陶器業にも使えましてよ。

生産工場もポンポン建てられたらしいですね。

ですわ～。そして工場が多く建てば工業都市ってのが生まれましたの。

ビバッ！ 工業化ですわ～。

副社長

そうして他の国でも産業革命が進められて、ヨーロッパで経済が変わっていくと。

イギリス

ですけど……、この蒸気機関による変革でもっと重要な事がありますの。

副社長

え？ まだあるんですか？

イギリス

交通手段にも革命が起きたのですわ。

副社長

えっと、それは蒸気機関を利用した乗り物が出てくる訳ですか？

イギリス

それまで馬車とか帆船が主な運搬手段でしたの。ですけど馬は疲れるし、帆船は風によって大きく速度が制限されますし。あとホントに重いものも遠くまで運べませんわ。鉄とか石炭とか……。

副社長

鉄って重いわりに儲かりませんからね～。

イギリス

そこで出たのがババン！ **蒸気機関車**！ そして**蒸気船**ですわ！ これらのおかげで重い物でも大量に、しかも遠くまで運べるようになりましたのよ。ほほほ～。

副社長

でも鉄道って線路が無いと走れませんよね。

イギリス

だからジャンジャカ線路を敷いて、国内の水運もどしどし造りましたわ～。

凄い！　蒸気機関の発明から怒濤(どとう)の勢いで世界が変わっていってる！

勿論、人も移動しやすくなって、都市と都市の交流も盛んになりますの。都市をより発展させる事になりましてよー！

交通手段の革命によって、世界が行き来しやすくなる……これは凄い革新です。

ほーほっほっほっほ♪　もっと褒めてもよろしくってよ～♪

そうなるとイギリスさんはクッソ儲けたんじゃないですか？

19世紀には**世界の工場**って呼ばれるようになりましたわ～。なにせ**世界貿易の20％以上のシェア**を占めたのですから～。

とんでもない数字ですね！　……でも不思議なのが、なんでイギリスさんから産業革命が始まったんですかねぇ？

それは勿論、科学の新しい発見や発展もありますけど

……、やっぱりイギリス経済を担う資本家さん達に潤沢な資金があった事が大きいですわ。

確かに新しい事を生み出したり、発展させるには投資が必要ですもんね。

産業革命が起こり出した頃と言えば戦争に勝って、植民地も超拡大！ 三角貿易でウハウハだったので経済的に絶好調だったんですわ〜。

それが資金源になったと。

そう、あと人口の増加によって労働力が確保出来た事も大きいですわね。

確かに人がいないと工場も回せないですしね。じゃあ、色んな要素が重なってイギリスの産業革命は起きたんですね。

ですわ！ どしどし発展して社会のあり方すらも変えていきますのよ！

ほんとに人類にとって劇的に変わった時代だったんですね。

産業革命はヨーロッパの経済ならびに資本主義を著しく発展させる事になる。それまでヨーロッパはアジアと比べても経済的に大きく遅

れをとっていた。しかし、この産業革命の発展と貿易の拡大によって、ついに**ヨーロッパとアジアの経済優劣が完全に逆転**。それは**軍事的優劣を逆転させる1つの要因**にも繋がっていく。

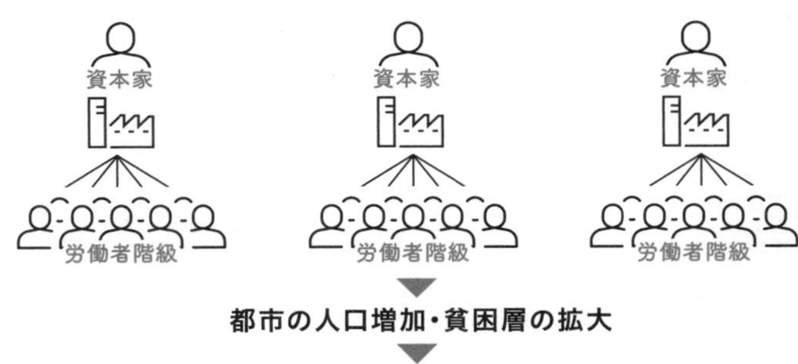

都市の人口増加・貧困層の拡大

失業や貧困の労働問題・伝染病の発生

工場法の制定

ただ、産業革命がもたらしたものは決して明るいものだけではない。工場が増大して工業化が進むにつれて**労働問題**や**環境問題**が浮き彫りになってきたのだ。工場で大量生産する場合、熟練した技術は必要ない。簡単な作業なので労働者は安い賃金で大量に雇われ、女性や子供達までも使われるようになっていく。その結果、都市の人口が増加すると失業や貧困、伝染病などの問題が生じ始めたのだ。その為、労働者保護の目的で**工場法が制定**されるなど、社会は労働問題と向き合っていくのだった。

19世紀

列強の侵略と帝国主義

19世紀半ば、発達した産業革命と資本主義はヨーロッパに大きな恩恵をもたらした。加えて19世紀半ばから石油・電気のエネルギー発展による第2次産業革命によって資本の巨大化が進み、各国は市場の拡大と利益をより追い求め始める。

また、蒸気機関を使った船舶の発達はヨーロッパと世界との時間的距離を縮めたが、これは同時に**離れた地域への軍事活動がしやすくなった**事も意味する。ざっくり言えば、世界のあらゆる地域に軍を送りやすくなったのだ。

目的も手段も揃っていたヨーロッパ各国は、ここからアフリカやアジアへの露骨な侵略が始まった。**帝国主義時代の幕開け**である。海外市場の拡大を求めてイギリスはムガル帝国を滅ぼして完全にインドを支配下に置き、フランスはベトナムなどインドシナ半島に進出する。そして、もう1国――いまだ海外進出に遅れていた**ロシア**がここで動き出そうとしていた。

ロシアの
南下政策

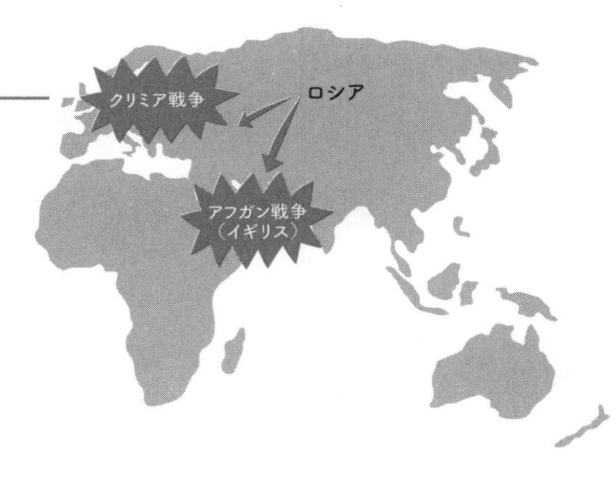

⚓ 目的はアジア！「攻めるロシアと守るイギリス」

イギリス

はぁ〜やっぱりインドの植民地はあったけぇですわ〜。

でも、さすがにおかしいってインドでも反乱が起きたらしいですね。

副社長

イギリス

シパーヒーの反乱ですわね。見事に鎮圧しまして、ついでにムガル帝国も滅ぼしましてよ。これも全部、イギリスの利益を守る為ですわ〜。

ならしょうがない！……とはならないですけど、イギリスさんはもうインドは手放せないんですね？

副社長

イギリス

当たり前ですわ！ インドはもはや私にとって無くてはな

らない存在——イギリスの経済基盤と言っても過言ではなくってよ。

じゃあ何があっても守らなきゃいけないんですね。

もっちろん守りますわ！ もし、この愛しいインドが無くなったら私……はっ！

ロシアさんが参加しました。

ガルルルルルルル。お前らだけずるい……俺にも海外に出させろ……植民地欲しいガルルルルルル。

あ、ロシアさんが南へ動き出しましたよ！ これは南下政策ってやつです！

チッ、ロシアのクマさんはどこを目指してますの？

それは……大変です！ ロシアが中央アジアを南下して次々と勢力圏を広げてます。このままだと……インドに来ちゃいますよ！

なんですって!?

ど、どうするんですか、イギリスさん？

守らなきゃ守らなきゃ守らなきゃ守らなきゃ守らなきゃ——。ではアフガニスタンに侵攻ですわ！

えぇぇぇぇぇぇ！ なんでそうなるのぉぉぉぉ!?

アフガンはインドの北方。つまりそこを支配下に置いて壁を作るのですわ！

なるほど～。いやいや、だからと言って侵攻されるアフガン王国がかわいそうですよぉ。

イギリス

ちょっとお黙りになって？(ゴゴゴゴゴ

こ、怖い……圧が強いです～。

1838年、イギリスはロシアの南下を阻止する為、先手を打ってアフガン王国に侵攻を開始した（**第一次アフガン戦争**）。

ごきげんよう、アフガンの皆さん♪

？

それでは早速……そこをおどきになってぇぇぇぇおらぁぁぁ！

ああ、インドっていう利益を守る事しか見えてない。

（ガタガタガタ

……ねぇねぇ？ なんでそんな意地悪するの？

あら？ 文句がありまして？ いいから早く私のものになりなさい！

アフガンさん、残念ながらイギリスさんは世界の最強国です。悔しいと思いますが従った方がいいかと……。

ねぇ、知ってる？ ここが歴史上でなんて呼ばれてるのか？

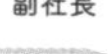

いや、なんですかね？

何をゴチャゴチャと！ かる〜くボコボコにしてさしあげますわぁぁぁ！

世界の軍隊の墓場って呼ばれてるんだよ。

きゃぁぁぁぁぁぁぁぁぁ！

えええええええええっ!? アフガンつよぉ！

中央アジアに位置するアフガニスタンは多くの山地と砂漠がある為、**攻めにくく守りやすい**。その地形に加えて、アフガンの頑強な抵抗によりイギリス軍は惨敗。しかも撤退中、インド兵の抵抗にも遭遇してしまいイギリス軍は全滅する。これは当時、最強を誇るイギリスにとって衝撃的な事件だった。しかし、息をつく暇などなかった。ロシアは中央アジアだけではなく、**黒海方面にも南下を開始し、オスマン帝国との戦争へ突入**したからだ。

な、なんて事ですの。まさかあんな子供並みの戦力しかない国に私が負けるなんて……。

ガルルルルルル……領土よこせぇ……港もよこせぇ。

う、うわぁ来るなぁ！　大砲どーんどーん！（**クリミア戦争**）

イギリスさん！　イギリスさん！　ロ、ロシアが次は黒海から南へ動いてますよ！　しかもオスマン帝国との間で戦争が起きてます！

それがどうかしまして？

いいんですか？　放っておいても？

まぁ、時代遅れのオスマン帝国ではロシア熊は止められないでしょうけど、そっちはインドとは関係ないですし……いや違う！　駄目ですわ！

ガルルルルルル……領土よこせぇ……不凍港もよこせぇ。

イギリス

このままだとロシアが黒海から地中海に進出してしまいますわ。

副社長

それってまずいんですか？

イギリス

だって、地中海にはエジプトを経由してインドに続くルートがありましてよ。つまり……。

副社長

つまり？

イギリス

インドが危ないですわ！ 早速参戦です！ クマ退治といきましてよ！

フランス

あたしもクマさんやっつけるよー！¥(｀・ω・´)/ｼｭﾀｯ!

副社長

え？ フランスさん、今回はイギリスと一緒に戦うんですね。

フランス

そだよ～ロシアは巣穴でおとなしくしてもらわないと～。

イギリス

あら、まさかあなたと共闘する事になるなんて。

フランス

べ、別に仲良くしたい訳じゃないんだからね！ ただ利害が一致しただけ！(￣^￣*)ｯ、ﾂｰﾝ

イギリス

そんな事分かっていますわ。足を引っ張るのだけはやめてくださいましね。

フランス：そっちこそ～。

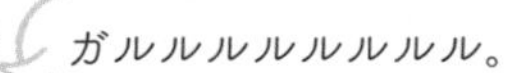

ロシア：ガルルルルルルルルル。

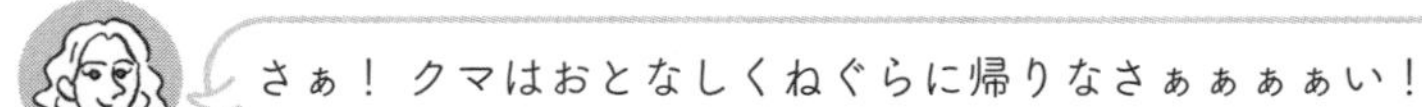

イギリス：さぁ！ クマはおとなしくねぐらに帰りなさぁぁぁぁい！

フランス：クマ鍋にしちゃうぞぉぉぉぉぉ！0(｀・ω・´)=○

ロシア：くんくぅぅぅぅぅぅぅぅぅぅぅん！

オスマン：あれ？ た、助かったのか？

1853年、南下政策を推し進めるロシアは近代化に遅れをとっていたオスマン帝国に宣戦布告し、**クリミア戦争**を勃発させる。しかし、ロシアの地中海進出をよしとしないイギリスとフランスがオスマン側に立って参戦。この２大強国の前にロシアはあえなく敗北し、地中海への進出は頓挫した。しかし、それでロシアが南下政策を諦めた訳ではなかった。依然、アフガニスタンのある中央アジアではロシアとイギリスの地理的対立が続いていたのである（**グレートゲーム**）。

ロシア：ガゥゥゥゥゥゥ。

イギリス：ま、まだインドを狙っておりますの？ インドには手出しさせませんわ。

副社長

何か良い方法はあるんですか？

イギリス

そんなの決まってますわ。今一度アフガンに侵攻です！

副社長

えぇ、この前負けましたけど。

イギリス

あんなのたまたまのまぐれですわ。私の運が無かっただけですの。奇跡は二度もないですわぁぁぁぁぁ！

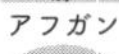
アフガン

また来たの？ 僕、お前の事きらい。えいっ！

イギリス

きゃぁぁぁぁぁぁぁ。

副社長

はっ!? またイギリスさんが負けた!? アフガン強い……。

イギリス

いえ、戦いは劣勢でしたが、外交で保護国にする事は成功しましてよ。

アフガン

むぅ。

副社長

じゃあ、これで一応インドの北に壁を作る事は出来たんですね。

イギリス

で、ですわ。

フランス

|ω・)ﾁﾗ

……あの～、フランスさんがインドをチラ見してますよ。

インドの東にあるベトナムやカンボジアはフランスの植民地。そこからインドを狙ってきてもおかしくないですわ。

どうします？ いずれインド欲を剥き出しにするかもしれません。

だからやる事は決まってますわ。

おお！ さすがイギリスさん!?

ビルマ（後のミャンマー）に侵攻ですわぁぁぁあぁぁ！

え!?

なんでぇ!?

フランス領インドシナとインドの間に防護壁を作る為に決まってますわ！

壁にされちゃうビルマさんかわいそう。

全てはインドを守る為！ 全部フランスが悪いのです

わぁぁ！

ひぃぃぃぃぃぃぃぃ。

⚓ 清でアヘン戦争が勃発！ 高まる列強の圧力

19世紀、ヨーロッパ列強の抗争により世界で身勝手な侵略と支配拡大が続いた。アフリカ・アジア・北アメリカ……そして、ついにその触手は**清朝（中国）**に向けられる。産業革命によって経済発展を遂げていたイギリスとフランスが、人口を増加させていた清の市場に目をつけたからだ。

ほほー茶がうめぇですわ〜茶最高ですわ〜。

イギリスさんってホント茶が好きですね。

喫茶文化が広がって、もはや茶は生活に欠かせない嗜好(しこう)品ですの〜。

そう言えば、その茶はどこから輸入してるんですか？

最近は主に中国の清からですわね。
……あら？ もう茶が少なくなってしまいましたわ。

人気過ぎて需要が上がり続けてるから、これまでの輸入量じゃ追いつかなくなってきたかもしれませんね。

イギリス
……足らない。

副社長
あの～イギリスさん？

イギリス
もっとですわ……もっともっと茶を飲みたい……もっと茶を寄越しなさいぃぃぃぃぃぃあぃぃぃ！

副社長
ああ！　あまりに好き過ぎてイギリスさんに禁断症状が出てるぅ！　清朝さん！　ちょっと来てください！

清
はいは～い。

イギリス
清朝さん、これでは足りないですわ。もっともっと茶を輸出してくださいまし。

清
勿論いいですよ。支払いは銀でお願いしますね～。

イギリス
分かりました……あら？

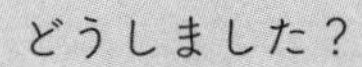
副社長
どうしました？

イギリス
ぎ、銀がとんでもない勢いで減ってますわ。

副社長
というと？

イギリス
最近は茶を買いまくってるのですけど、清には綿製品が

売れないから多くを銀で支払っているのですわ。

じゃあ清に銀が大量に流出してたんですね。

副社長

イギリス

くそ～さすがにまずいですわ～。

ど、どうするんですか？ このままじゃ大好きな茶が飲めませんよ？

副社長

イギリス

いやぁぁぁ！ それは無理ですわぁぁ！ 茶が無いと私、私……ふぁぁぁあああぁぁぁ！

し、しっかりしてください！ 戻ってきてください！

イギリス

……はっ！ 茶不足で飛んでましたわ。こ、このままではまずいですわね……でも支払いはどうしましょう。あ、そうですわ！

お、何か思いついたみたいですね。

副社長

イギリス

銀の代わりにアヘンを使いましょう♪

は？ アヘンって麻薬の一種である、あのアヘンですか？

イギリス

ですわ。

え!? それはさすがに清朝さんが許しませんよ。

確かに清はアヘンの輸入を禁止されてますわ。でも需要は大いにありましてよ。

だけどアヘンは禁止なんですから取引には使えませんよ。

そこはあなた……、勝手に輸出しちゃえばいいんですわ。（ボソっ

いやいや、さすがにダメですよそれは。

幸いな事にアヘン取り締まりも清は甘いですし、何よりインドで大量栽培したアヘンをメチャクチャ有効活用出来ましてよ。

それにこれは新しい三角貿易のチャンスですわ。

新しいというと？

英領インドから清へアヘンを密輸→
清からイギリスへ茶を購入→
イギリスから綿製品をインドへ輸出するのですわ。

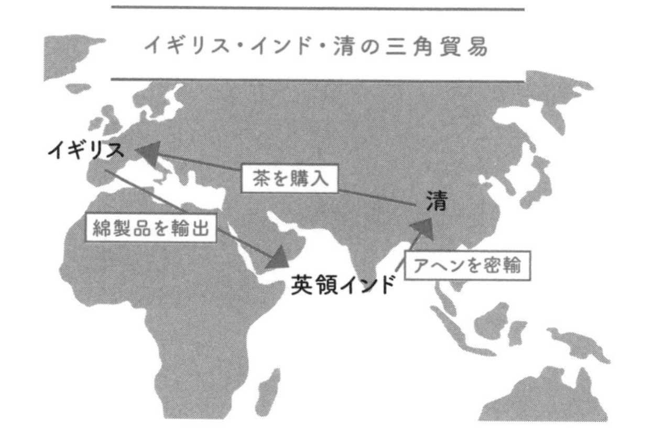

確かにこれだと銀は減らないですね。でも密輸はどうかと……。

決めました。これでいきましょう。（ニチャァ

ええ……。

18世紀末、**イギリスは銀の支払いを少なくする為、アヘンを輸出して茶を購入**し始めた。その結果、アヘンが大量に流通し始めた清ではアヘン吸引の悪習が拡大。もともと清はアヘンの輸入も吸引も禁止していたが、それでも需要は下がらず、密輸入によってアヘンの取引量はどんどん増大していった。すると1830年頃から次第に茶だけではアヘンの支払いが足りなくなり、**代わりに銀を取引に使用**。逆に清からイギリスへ大量の銀が流出し始める。その結果、清では銀の価格が高騰し、農民の生活を圧迫していくのであった。

ふへ～～あへんしゃいこ～～～～。

うわぁ、国中にアヘン依存者が溢れてますよ！　これは社会問題です。

さ、さすがにこれ以上、見逃すのはまずいですね。

さぁさぁ、皆さんお待ちかねのアヘンですわよ～。

待ってください！　もう我慢出来ません。アヘンを持ち込むの絶対だめ！

は？　アーハイハイ、アヘンハモチコミマセンワー。

約束ですよ。

ヤクソクデスワ～。

いいですね？　絶対ですよ。絶対ですからね。

ゼッタイデスワー。

……これは守る気がないな。（確信

清は問題を解決する為、外国商人に対しアヘンの流入を固く禁止し、アヘンを持ち込んだ場合は処刑するとまで通告した。しかし……。

イギリス

ほ〜れアヘンですわよ〜。

副社長

や、やめた方がいいですってイギリスさん。

イギリス

やかましいですわ。バレなきゃいいの。よろしくって。

清

おっと、まだ持ってますね？ アヘンは禁止って言いましたよね？

副社長

ほーら、見つかっちゃいましたよ。

イギリス

なに？ なんですの？ 何か悪いところがありまして？

清

は？

副社長

ひ、ひらきなおった!?

清

な、なんたる態度！ ほら、それを全部こちらに渡しなさい！ 処分します！

副社長

うんうん、これは約束を守らないイギリスさんが悪いです。諦めてください。

イギリス

はぁ……仕方ないですわ……。

清

よし！ じゃあ早速全部没収です！

イギリス

でも、代わりにその分を補償してくださいましね。

清

うん？

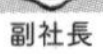

うん？

イギリス

そりゃそうですわよ～だってここで没収されたら大損ですもの。あ～ショックですわ～。

副社長

うん？ うううううううううん？

清

そんなの払う訳ありません。つけあがるのもいい加減にしなさい！

イギリス

……それはこっちのセリフですわ。ムカついたからぶっ飛ばしてさしあげます。（ニコ

清

い、いや何を言って――。

イギリス

舐めた口きいてるんじゃないですわぁぁぁぁぁ！

清

ぐぁぁぁぁぁぁぁぁ。（**アヘン戦争**）

副社長

あ、アヘン戦争で清朝さんがイギリスさんにボコられてる。

イギリス

ぺっ！ 二度と！ 逆らわないでくださいましね？

うぅ……。

めちゃくちゃ過ぎる。

アヘン厳禁を通告していたのにもかかわらずイギリスはそれを無視し続けた為、清国は貿易を停止してイギリス商館も閉鎖、大量のアヘンを没収して処分した。ここまで聞けばなんら清に非はないのだが、対立を深めた両国はついに**アヘン戦争**に突入する。戦争は火力に勝るイギリスを前に清はあえなく屈服。1842年に**南京条約**を締結した。イギリスは清に5つの港を開港させ、更なる貿易拡大を図っていく事になる。一方、アヘン戦争で敗れた清は賠償金の支払いや欧米列強の圧力によって更なる苦境に陥っていく。

じゃあ、賠償金を払ってくださいましね。あと港も開くように……よろしくって？

ううう……わ、分かりました。

だ、大丈夫ですか？

大丈夫じゃ……無いです。うちにはもう賠償金を払うだけの余裕なんて無いです。

じゃあ、もしかして……。

税をかけるしかないです。それも重い税を。

清民さんが参加しました。

清民

おい！ 銀が高騰している現状で重税を課すのか!? しかも最近は災害も多いし失業者も溢れかえっているんだぞ！

副社長

ああ、清朝さん！ 国内が乱れて治安悪化してますよ！

清

はわわわわわ。

清民

ていうか、今の清王朝はおかしくねぇか？ うん？ 今のやばい状況を変えなきゃいけねぇんじゃねぇか？ 今こそ清を倒すべきだよなぁぁぁぁぁぁ。

太平天国

その清朝打倒は我々に任せてもらおう！

副社長

あ、あなた達は!?

太平天国

我々こそ人民を救い、漢人による真の国家を取り戻すべく立ち上がった太平天国である！ 清朝、覚悟！

清

こ、来ないでくださいぃぃぃぃ。

清の国内における経済的混乱は清民の反発を招いた。その中で、キリスト教に影響を受けた上帝会（じょうていかい）を率いる洪秀全（こうしゅうぜん）が1851年、信徒を集めて挙兵して**太平天国**を建国した。こうして満洲人の建国した清を滅ぼして漢人国家を樹立する「**滅満興漢**（めつまんこうかん）」をスローガンに掲げた**太平天国の乱**が勃発したのである。

ああ、反乱が飛び火してメチャクチャ燃え広がってますよ！ どうするんですか清朝さん!?

ど、どどどうするも何も鎮圧するに決まってるです！ 行くです！ 逆賊どもを滅ぼすです！

度重なる政治的失敗によって規律が乱れてる清軍など恐るるに足らず。今こそ漢人の力を思い知れぇぇぇ！

ほげぇぇぇぇぇぇ！

強い！ ……いや、これは清軍が弱いのか？ とにかく太平軍の方が規律が高いし、民の支持もメキメキ上がってます！

がはっ！ こ、このままでは……。

イギリスさんが参加しました。

あ、あれ？ イギリスさんどうしましたか？

イギリス

少々よろしくって？

清

イギリスさん、今はそれどころじゃないです。後にしてくれませんか。

イギリス

清に出兵しますわ。

副社長

は？

清

は？

イギリス

あなた、最近、うちの旗を掲げたアロー号の船員を逮捕しましたわよね？

清

は？ え？ 確かに逮捕しましたが……それは海賊容疑で。

イギリス

その時、船に掲げてたうちの旗を引き降ろさせたらしいですわね。

清

それはそうかもしれないですが……。

イギリス

あー傷つきましたわー絶対許せませんわー。

清

ちょちょちょちょっと待ってください！

イギリス

あーこれは戦争ですわー。

いやいやイギリスさん、それってただのいちゃもんですよね？

そ、そうだそうだ！

何をおっしゃいますの？ 私は決して清での貿易が上手くいってないからもっと港を開港させようなんて――ゲフンゲフン！

漏れてる。漏れてますよ、本音が。

とにかく！ 私、とっても傷つきましたの！ だから清朝さんには、その責任を取ってもらわなければ！ 宣戦布告ですわ！

ちょ、待って……。

フランスさんが参加しました。

私も清に出兵しちゃうよ～(｡･ω-)-☆

ええええええ!?

なんか～清で～フランス人宣教師が殺されちゃって～私

許せなくって〜清には責任取ってもらいたくて〜。

違うでしょ？ 清に本格的に進出したいだけでしょ？

それはひどい！ 分かりますわフランスさんのお気持ち！ではこの悲しみを清に分からせてあげましょう！

うんうん♪

んなめちゃくちゃな……。

フランス

そんな訳でとにかく殴っちゃうね〜（○｀・ω・)=O

グーパンですわ〜(*ﾟ∇ﾟ)-O

ぼげぇぇぇぇぇぇぇぇぇぇ！（**アロー戦争**）

む、無残過ぎる……。

じゃあ新たに11港を開港してくださいましね。よろしくって？

……わ、分かりました。（涙

おお！ これは好機！ 今こそ清朝に引導を渡すのだ！

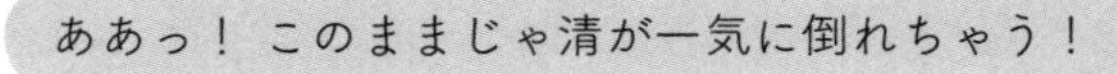

ひぃぃぃぃぃぃぃぃぃぃ！

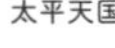

さらばだ！ 腐った清朝よ！

うん？ だめだよそれは～平和を乱すなんてよくないんだぞ～。

ですわですわー清国を助けなきゃですわー。

へ？

くらえ～(○｀・ω・)=○

くらえですわー(*ﾟ∇ﾟ)-○

ぎぃぃぃぃぃぃぃぃぃぃ。

やりたい放題かよ。

アヘン戦争以後、開港したもののイギリスの清における貿易は伸び悩んでいた。そこでイギリスは更なる開港を求め、**アロー号事件**を口実に清に出兵を決定。フランスもそれに同調して始まったのが**アロー戦争**だった。「太平天国の乱」の最中に始まった戦争に清国が勝てる訳も無い。屈服した清は最終的に**北京条約**を結び、更なる開港を余儀なくされた。

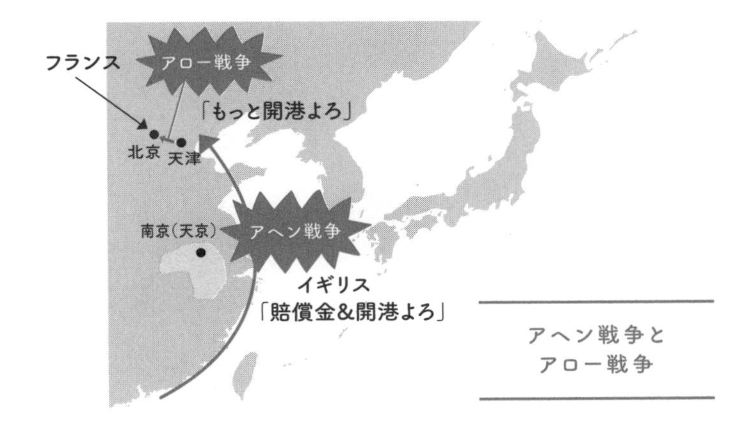

アヘン戦争と
アロー戦争

終戦以後、イギリス・フランス両国は一転して清朝の援助に回り、次第に追いつめられた太平天国は鎮圧される事になるが、清朝が傾いているのは明らかだった。更なる開港によってヨーロッパの安い製品が流れ込んだ清では、国内産業が低迷した為に失業者が増大し、財政も悪化を加速させた。

それでも清は現状を打破しようと近代化を図るが、朝鮮をめぐる**日清戦争**で日本に敗北。その後、弱体化が目に見えて決定的となった清は義和団事件を経て、**欧米列強に分割統治されていく**事になる。

アフリカ大陸をめぐるヨーロッパ各国の思惑

世界のあらゆる地域を分割し、植民地化していくヨーロッパ列強の帝国主義は清、インド、東南アジアなどアジアで展開された。そして、列強が次に注目したのが**アフリカ**だった。もともとアフリカ沿岸部は航路上の関係によって影響下に置かれる地域が多かったが、内陸部は未知数だった。しかし19世紀に内陸部が探索されると、列強はこぞってアフリカ大陸を侵略していく事になる。

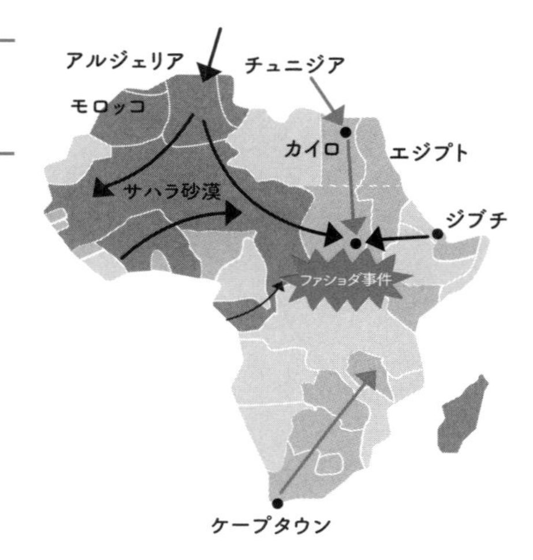

イギリスはアフリカ北部の**エジプトを占領**して事実上保護下におくと、さらに南下して**スーダンまで侵攻**。しかも同時にアフリカの南部から北上して内陸へ勢力を拡大した。いわゆる「**縦断政策**」をイギリスは進めたのである。

ほほほ～♪ アフリカをどしどし私色に染めていきましてよ～。

アフリカの北と南から内陸へ侵略してるらしいですね。

ビバっ！ **縦断政策**ですわ～。

縦断政策？

南北から広げてるイギリス領を一つに繋げるのですわ。つまりアフリカを縦に貫くように勢力を築こうとしましてよ♪

うう、焼き鳥みたいに貫かれちゃうアフリカかわいそう。（涙

さぁ、涙をお拭きなさい。これもイギリスを繁栄させる為……しょうがない事ですのよ。

うううっ、身勝手すぎぃ！

フランスさんが参加しました。

出ましたわね。まーた余計なちょっかいですの？

ちょっとイギリス！ 何してくれてんの(ﾟДﾟ)ｺﾞﾙｧ

おおフランスさん！ もっと言ってやってください！

私はアフリカを横に貫く**横断政策**を進めてるの！ あんたの縦断政策とかありえないんですけどー。
p(｀ε ´ q) ﾌﾞｰﾌﾞｰ

身勝手ちゃんがここにもいたぁ。(涙

副社長

イギリス

うん？ なんですの？ 喧嘩なら買いましてよ？

フランス

望むところだよ щ(ﾟДﾟщ) ｶﾓｰﾝ

わわわわわわ。また２人が戦争しそうです（**ファショダ事件**）。

副社長

イギリス

でも、良いですの？ あなたはドイツと対立してると聞いてましたが……ここで私と喧嘩するのですか？

フランス

うっ、たしかに(・ω・;)

イギリスの縦断政策は、時同じくして横断政策を進めるフランスとぶつかる事になり、両国はファショダで対立。緊張が高まった英仏は戦争へ突入すると思われた（1898年、**ファショダ事件**）。しかし、結果的にそうはならなかった。ドイツとも対立していたフランスがここは譲歩したのだ。

イギリス

ほほほ〜フランスも今回ばかりは一歩退きましたわね。

でも、良かったです戦争が起きなくて。

副社長

イギリス

そうですわね。争うのは良くないですものね。(ニッコリ

副社長

イギリスさん……わかってくれたんですか！

イギリス

ではフランスとの戦争は回避できましたし、トランスヴァール共和国へ侵攻しましょう。

副社長

うううううだめだぁ！

イギリス

だって、あの地で豊富な金とダイヤモンドの鉱山が発見されたのですわ……これを逃す手はないでしょう。（ニチャァ

アフリカの南部には**ボーア人**（オランダ系移民の子孫）が建てた**トランスヴァール共和国**があった。この国で金とダイヤモンドの鉱山が発見されると、イギリスはここぞとばかりに侵略を開始。1899年、**ボーア戦争**（南アフリカ戦争）が始まった。しかし……。

イギリス

はぁ、はぁ、はぁ……。

副社長

な、なんか息がゼェゼェですねイギリスさん。もしかして苦戦してるんですか？

イギリス

いや……そ、そんな事はなくってよ。

ボーア人

オラたちの国を侵すのは許さないだ！　オラたちの土地から出て行くだぁぁぁ！　くらえ！　ゲリラ戦じゃぁぁぁぁぁぁ。

イギリス

こざかしい田舎っぺどもですわ。こうなったら……大兵力動員どーん！ 物量どーん！

ボーア人

くっ……まだまだぁ！

イギリス

大兵力どーん！ 物量どーん！

【ニュース】ロシアが極東を南下し、中国北東部にある満洲を占領。

ロシア

ガルルルルルルもっとよこせぇ。

副社長

あ、なんかロシアさんがお次は極東で南下政策を推し進めてますよ。

イギリス

ファッ！ いやいや！ 今はアフリカ政策でロシアのクマさんどころじゃなくってよ！

ボーア人

出て行くだ！ 出て行くだ！

副社長

さすがに今回はロシアさんを止める事は出来ないんじゃ。

イギリス

クソがっ！ なにか良い方策は……あ、そうですわ！ 極東には最近、近代化をして頑張ってる日本がいましたわね。

副社長

確かに日本は最近、日清戦争でも勝って調子がいいですね。

その背伸びしている日本にロシアの熊防止を協力してもらいましょう！　ということで同盟です！　日英同盟ですわ！

確かに、それは日本としても願ったりかもしれません。

満洲を占領し、極東で南下政策を推し進めるロシアを止めたいイギリスだったが、ボーア戦争の影響により、困難な状況にあった。そこで、イギリスは日本に近づいて**日英同盟**を締結し、極東でのロシア南下を阻止する外交策を取った。その日英同盟が**後の日露戦争で日本がロシアに辛勝する１つの要因**になっていく。

よし、これで一旦はロシア熊対策 OK ということで。

出て行くだ！　出て行くだ！

田舎っぺ共め……そろそろ幕を下ろさせてもらいますわ。大兵力どーん！　物量どーん！　どーーーーーーん！

ぐぐっ……オ、オラたちの土地をま……もる……んだ……。

ああ！　ボーア人さんが！

余計な手間を……。私に勝とうなんて百万年早かったで

すわねぇ！

副社長

いや、かなり苦戦してましたけど……。

イギリス

とにかく！ これで豊富な金とダイヤモンドは私のもの!! ほほほほほほ〜♪

ドイツさんが参加しました。

副社長

ああ、ドイツさんもアフリカに進出してますよ。

ドイツ

うめぇ！ うめぇ！ アフリカうめぇ！ もっと、もっと！ アフリカに土地欲しい！

イギリス

ちょっとあなた！ 遅れてやってきて何好き勝手やってくれてますの！

フランスさんが参加しました。

フランス

そ、そうだよ！ アフリカはイギリスと私が先に目をつけたんだからね！((((;´・ω・`))) ガクガク

副社長

なんかフランスさん、ドイツさんにビビってないです

か？

フランス

だ、だって先の戦争（**普仏戦争**）でボコられたし……しかも最近こいつ、どんどん体がでかくなって……ちょっと怖い。

ドイツ

そりゃねーよぉ二人さん！ オイラにもおいしいとこは分けてもらわなきゃ。ま、ここは仲良く行こうぜ！

イギリス

なにが「仲良く」ですか……知ってますのよ。あなた、ボーア戦争でボーア人を支援してましたわよね

ドイツ

さーて、どうだったかな〜。

イギリス

なんて卑怯で陰険な奴……。

副社長

うん？ イギリスさん？ 卑怯？ 陰険？ ん？ ううううん？

ドイツ

とにかくアフリカは俺も食ってくからよ。そこんとこよろしく〜。

ドイツさんが退出しました。

イギリス

……あいつ最近、でかくなって調子乗っていますわ。

うん、まずいよ……ここはちょっと私たち同盟した方がいいかも(‐`ω‐´)う 〜 ん…。

あれ、この展開は……。

ぁ、あなたがそこまで言うなら仕方ないですわね。

ドイツを止める為だからね！ 別に仲良くしたい訳じゃないから！(*｀∧´*)」

いっつも争ってた英仏が歩み寄ってる!? これもドイツっていう共通の敵が出来た影響か……。

では一緒にドイツを止めましてよフランス！

うん♪ ここでドイツに釘を刺さなきゃねイギリス♪

敵対する事が多かったイギリスとフランスの仲に変化が生じ始めた。これもドイツのアフリカ進出を英仏が警戒したからだ。しかもドイツはアフリカのみならず**【世界政策】**のもと積極的に海外領土拡大を狙っていた。これに対し、外交的な歩み寄りが行われた英仏は急速に接近（1904年、**英仏協商**）。以降、英仏はドイツの海外進出をタッグで阻止していくことになる。

このように帝国主義時代も**列強が利害によって、時には対立し、時には味方となる時代**でもあった。そして、世界中で行われた列強各国の果てなき植民地拡大政策は、民族的な対立も巻き込み、ついに未曾有の戦争を引き起こす事になってしまう。それが人類が未だかつて味わったことのない大戦争――**第一次世界大戦**だった。

（第1部「完」）

第2部

幕末・明治期の日本史

文・いつかやる ぴろすけ

ヤーッ

幕末①

黒船来航で潮目が変わる日本

黒船来航で鎖国崩壊？ 時代が揺れるぜ幕末！

17世紀半ば、日本は鎖国を行い外国との接触を禁止した。このおかげで他国との争いも無く、平和な時代が続くのだが1853年7月8日、アメリカ提督「マシュー・ペリー」が黒船を率いて日本に鎖国をやめるよう要求してきた！
「マシュー・ペリー」とはどんな人物か？ 話を聞く事にした。

ぴろすけ：ペリーさん、自己紹介をどうぞ。

ペリー：マシュー・ペリー、1794年生まれでアメリカ出身。黒船を率いて**浦賀沖**（うらがおき）（**神奈川県横須賀市**）にやってきた。お近づきのしるしにこれを君にあげるよ。

ぴろすけ：これラムネですよね？ ありがとうございます。グビグビ……。

ペリー：余談だけど、日本にラムネを初めて持ってきたのは私だよ。

ぴろすけ

え!? そうなんですね！ 意外な事実がw じゃあ早速聞きたいんすけど、なんで日本に鎖国をやめてほしかったんですか？

ペリー

まず1つ、**捕鯨目的**。当時は機械やランプに使用する油はクジラの油を使っていてね、クジラ漁はアメリカに必要なものだったから日本の近海で漁をしたかった。

ぴろすけ

クジラ漁が目的だったんですね。

ペリー

もう1つは**清朝（中国）への進出**だ。当時の列強は産業を発展させた事で、自国に物が流通し過ぎて売れなくなってた。それでいいマーケティング市場は無いかと考えた結果、目をつけたのが清国だったのさ。

ぴろすけ

確かに中国はデカくて人も多いですもんね！

ペリー

それで鯨漁するにも清に向かうにも途中で燃料や食料が足りなくなるだろ？ じゃあ近場で補給出来る所が欲しいと考えて、目をつけたのが日本だった。

ぴろすけ

目的地に行く途中でサービスエリアに寄りたいって事ですね！

ペリー

まぁーそんな感じだな。だから鎖国を解いて港に入れるようにしてくれと日本に求めたのさ。

でもいきなり見た事ない外国人が来たら日本人はビビりまくるでしょうw

実は私が来る以前から日本に外国船がちょくちょく来てた。

え!? そうなんですか?

ロシアは寒い国だから冬でも凍らない港を求めて日本にちょっかいをかけていた。加えてオランダも私が来る前から「鎖国を解いては?」っと提案してた。私が来る以前から、日本は外国とのトラブルを抱えていたのさ。

てっきりペリーさんが初めてだと思ってました。

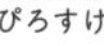

こういった事もあって日本は異国に対して警戒心を常に持ってた。だからアメリカも最初は穏便に交渉しようと考えていて、私が来る7年前に「ジェームズ・ビドル」というアメリカ人が開国してくれとお願いしてる。

え!? ペリーさんの前に交渉してる人がいたんですか?

そうだ! 因みにビドルは交渉に失敗してね、通訳が上手くいかなくて日本人にぶん殴られてるぞw

どう伝わってしまったんですかw

そのビドルの件もあって警戒した私は日本人の性格や弱点を全て調べ上げてから交渉に臨んだ。それで出した答えは「**力ずくで条約を結ぶ**」だった。

まさかのパワープレーw

それで黒船で日本に来て、空砲を撃って脅かしたりした。それで交渉する事になったんだけど、すぐに答えは出せないから一度帰ってくれと言われてね。なら「**1年後にまた来るから**」と約束して、2回目の来日で**【日米和親条約】**を結ぶ話し合いをする事になるんだよ！

こっから幕末の扉が開いていく訳ですね！

因みに日米和親条約を決定したのは「阿部正弘（まさひろ）」さんという人だから続きは彼に詳しく聞いたらいい。

分かりました！ 聞いてみます！

ペリー来航！日本のピンチに阿部正弘が立ち上がる

マシュー・ペリーが鎖国を解いてくれと圧力をかけてきた！ 一旦はペリーを帰す事に成功するが、追い込まれていく日本。その状況を打開するべく「阿部正弘」という男が立ち上がる！

彼はどんな人物なのか？ 話を聞いてみる事にした。

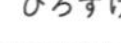

では阿部正弘さん。プロフィールをどうぞ。

阿部正弘

1819年生まれ、福山藩（広島県）の元藩主。12代将軍の徳川家慶（いえよし）様に認められて、27歳で**【老中首座】**に選ばれた。

ぴろすけ

老中首座って何ですか？

阿部正弘

【老中】は幕府の政治を担う人達で、そのリーダーが**【老中首座】**だ。

ぴろすけ

めっちゃ凄い人やん！ じゃあ早速聞きたいんですけど、ペリーさんが日本に来た時はかなり焦ったんじゃないですか？

阿部正弘

まぁ、焦った事は焦ったけど、ペリーさんが来る事は前から知っていたからね。

ぴろすけ

え!? 知ってたんですか？

阿部正弘

日本は鎖国してるけど一部の国とは貿易してて、オランダからアメリカが来る事を事前に知らされていた。だから「うわぁ……、本当に来やがった」って感情の方が強かったよ。

長崎でオランダと中国、対馬（つしま）では朝鮮、九州では沖縄、北海道ではアイヌと貿易をしていた。

鎖国してるから外国の情報には疎いイメージがありました……。

鎖国をしてたからといって外国の事を知らなかった訳じゃない。だけど幕府は黒船が来るまでいい対策案を思いつかなくてね、将軍の家慶様が体調崩してるから一度帰れと言ったんだ。

そこまでの話はペリーさんに聞きました！ 1年後にまた来ると言ってましたね。

だから私はペリーさんがまた来る前に、なんとしてもいい対策が必要だと考えた。そして前代未聞の御触（おふれ）を出したんだ。

“幕府始まって以来の国難である。
それぞれ忌諱（きき）に触れても、銘々の心底を残らず触れてほしい”

これはどういった内容ですか？

上とか下とか関係なく、皆いいアドバイスくれって意味だ。

めちゃくちゃいい対策じゃないですか！ どこが前代未聞なんですか？

大名には種類があってね、図で表すとこうなっている。

親藩	譜代	外様
徳川家康の一族	家康に昔から仕えていた直の家臣達	「関ヶ原の戦い」以降に家康に従った人達

この中で、幕府の政治を担当する大名が「譜代」のメンバーだ。今回の問題も本来は譜代のメンバーが解決しないといけなかった。

基本的に動くのは譜代なんですね。

だけど私は「**親藩、譜代、外様は勿論、全国の人達！ アドバイスをカモン！**」って言った訳だよ。

これ今で言うと「国民の皆さん！ 政治家だけじゃ日本を守るのは無理だから、ヒントをください！」って総理大臣が言ってる感じですよね？

そんな感じだな！

これは前代未聞ですねｗ

阿部正弘

このおかげで**海軍**を創る事を決めたり、外国と上手く付き合えば、日本を強く出来るという考えも沢山入ってきた。更に日陰の暮らしをしてた才能ある奴を引っ張り上げる事にも成功したぞ。

ぴろすけ

いい感じじゃないですか！ これならペリーさんが来る前に色々対応出来ますね！

阿部正弘

それがそうはならなかった……。将軍の家慶様が亡くなってしまい、国内はバタバタし始めてね。すると、その情報を聞きつけたペリーさんが「日本の国内は荒れてるな！ じゃあ、このタイミングで交渉のお願いしたら断れねーだろ！」って事で、1年後という約束を破って日本にやってきたんだ！

ぴろすけ

最悪！ やり方がゲス過ぎるw

阿部正弘

結局ペリーさんとの交渉を断る事が出来ず、幕府は条約を決意した。だけど我々も簡単に条約を結ぶ訳にはいかない。だからその交渉人に「**林大学頭**（はやしだいがくのかみ）」を起用した。

ぴろすけ

その人は凄い人なんですか？

阿部正弘

外交の全権を任せられていたスーパーエリートだ。彼はペリーさんの要求を論破しまくり、港は開いても貿易は拒否したり、外国人の出歩きに制限をかけたりと交渉を優勢に運ばせた。

凄い隠し玉がいたんですね！

そして日米和親条約が結ばれて、鎖国は終了したんだ。

1854年「日米和親条約」締結。

ついに開国されたんですね！

いや、この段階ではまだ開国と言えない。外国人と貿易をして初めて開国と言えるんだ。

なら貿易だけは阻止したいところですね。

そうしたいが日本は貿易して国力を付けないと列強と渡り合えないのも現実なんだよ。だから「タウンゼント・ハリス」と**【日米修好通商条約】**を結び、貿易がスタートする。詳しくはハリスに直接聞いたらいい。

分かりました！ 早速聞いてみたいと思います。

貿易スタート！
日米修好通商条約は不平等ではない？

日米和親条約を結んだ日本。なんとか開国せずに済んだのだが、外国と渡り合うには「開国」しないと始まらない状況だった。そんな時に現れたのが「タウンゼント・ハリス」。

彼と結んだ「**日米修好通商条約**」は世間で不平等条約と言われるが、

果たしてそうなのか？　ハリスに話を聞いてみた！

ではハリスさん、自己紹介をどうぞ！

タウンゼント・ハリス！　1804年にアメリカで生まれる。外交官として働いてたよ。

ハリスさんはどういったキッカケで日本に来たんですか？

日米和親条約の内容に「**下田(しもだ)に外交官を置く**」と書いてあってね。それで日本にやってきた！　そこで私に与えられた任務は幕府と通商条約を結ぶ事だったよ！

貿易させる事ですね！　でも日本は貿易を嫌ってるんで難しいと思いますよ。

だから私は、日本のリーダーと言われる将軍に会わせてくださいってお願いしたんだ！

将軍に!?　いや、素性も分からん外国人に会う訳ないでしょ！

最初は断られたけど、お願いしまくったら会えたよ！

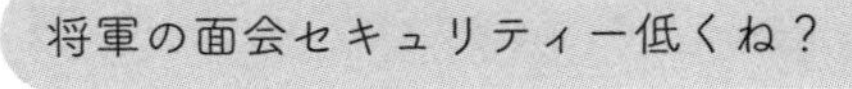

将軍の面会セキュリティー低くね？

そして13代将軍「**徳川家定**（いえさだ）」さんと面会して色々話したよ。中に入っちゃえばこっちのもの！ 幕府の役人さんと通商交渉のアポを取った！

ノリは軽いけど抜かりない！ ただの陽気なおっちゃんじゃねー……。

そして交渉の場に着いたんだけど、私は日本が置かれてる状況を切々と説明したよ。列強がいかに脅威なのかを。

列強ってそんなにヤバい奴らなんですか？

この時の列強は各地で植民地支配に乗り出していた！「お前の国か？ 俺が欲しいからよこしやがれ！ 世はまさに**大帝国主義時代**！」だった！

帝国主義は異民族を侵略・支配して国をデカくしようって考えだよ。

ありったけの夢（国）をかき集めてる訳ですねw

そんな感じ！ それにアジア最強と言われた清国はイギリス・フランス連合軍と戦ってボコられてた。だから次に日本が狙われたら簡単に消し飛ぶぜ？って幕府の役人に伝えたんだよ。

確かに当時の日本じゃヤバいかもしれませんね。

だからアメリカと貿易して国力を付けよう！って説得した。それを聞いた幕府の役人さんも開国は待ったなし！っという事で**【日米修好通商条約】**を結ぼうって話になったんだ！

ちょっと待った！ 確かこれ教科書で不平等条約って言われてませんか？

「領事裁判権」と「関税自主権が無い」事かな？ これは不平等なんかじゃないよ！

「領事裁判権」（日本で犯罪を行った外国人は外国の法で外国の領事が裁く）

「関税自主権が無い」（輸入の税率を日本が自由に決められない）

嘘だ！ 領事裁判権は日本の法で外国人を裁く事が出来ないから、アメリカの都合で無罪に出来たり、好き放題出来るじゃないですか！

だけど幕府はすんなりとOKしたよ。

え!? なんで!? 絶対嫌じゃん！

元々「**外国人の犯罪者は外国の法で裁く**」というのは**家康が決めたルール**（祖法）に既にあってね。幕府はそれに従ったんだ。

えー!? 元々日本にそんなルールあったんですか？

それに日本で犯罪行為を犯した外国人は日本から強制退去させられたからペナルティじゃないよ。

じゃあ関税はどう説明するんですか！　本来は自由に決められるのに、日本は決められない！　一方的にアメリカが決めてるじゃん！

一方的じゃないよ！　そもそも関税というのが日本には無かったんだよ！

え？　そうなんですか？

だから日本がこっちに任せたのが大きな理由よ！　この税率も輸入税が20%、輸出税が5%。これは欧米諸国で取引される関税とほぼ同率。

当時イギリスが清に押しつけてた輸入税なんか5%だから、比べるとそこまで不平等じゃないでしょ？

確かに想像してたのと違うというか……。

むしろ関税の意味も知らないのに、その程度で抑えた日本の外交官は超優秀だよ。あと私は国際ルールに基づいて条約を結んでるから不平等と言われてもちょっと困るというか……。

まぁ「国際って何？」って状態ですもんね日本はwそれで条約は結ばれたんですか？

いや、条約の内容が決まっただけで、調印はしてない。この調印に反対する**【尊王攘夷(そんのうじょうい)】**という思想が日本に沢山溢れてね……。こっから大変な事になるんだよ。

波乱の展開になっていきそうですねw

ここからは条約を結んだ「岩瀬忠震(ただなり)」さんに詳しく話を聞いたらいいよ。

分かりました！ 早速聞いてきます！

鎖国解除の裏で沸き起こる「尊王攘夷思想」

列強の脅威を恐れた日本は「**日米修好通商条約**」を結び開国しようと決意するが、その条約に待ったをかける**尊王攘夷思想**が日本に溢れ出す！ 果たして無事に開国出来るのか!? 条約を結んだ岩瀬忠震に話を聞いてみた！

では岩瀬さん、自己紹介をお願いします！

岩瀬忠震。1818年生まれで、阿部正弘様に引っ張られて出世した1人でもある。

そういや阿部さんが才能がある奴を引っ張り上げたっ

て言ってましたね！　じゃあ早速ですが、ハリスさんと条約を結ぶ話は順調に進んでいたんですか？

岩瀬忠震

いや、全く進まなかったよ。なぜならこの時、**【攘夷思想】**というのが生まれてたからね。

ぴろすけ

攘夷？

岩瀬忠震

攘夷というのは「**外国人を追い出そう**」という意味。日本は外国を警戒してたからね。この考えが巷(ちまた)に広まっていた。

ぴろすけ

そもそも鎖国してたし、外国との接触は常識の外ですもんね。

岩瀬忠震

そして、日米和親条約を結んでから幕府に不信感を持つ人が現れて「**天子様（天皇）を大事にして外国人を追い出そう**」という**【尊王攘夷】**の思想が流行(はや)り出す。この支持者は**尊攘派**とも呼ばれるぞ。

ぴろすけ

ん？　なんでそこに天皇が出てくるんですか？

岩瀬忠震

実は天皇や公家達は外国人が大っ嫌いだったw　だから幕府と違い「朝廷」は開国に否定的だったんだよ。

「朝廷」：天皇や公家が政治を行う場所。

「幕府」：武士が政治を行う場所。

江戸時代には幕府が全国の統治権を握っていた。

幕府と朝廷では開国に対して温度差があるんすねw

だから「天子様の為にも外国人を排除してやるぜ！」って気持ちが武士達の中でも高まっていたんだ。

だけどこれ、幕府に反抗してる訳ですよね？　そんな事がこの時代に許されていいんですか？

これには阿部正弘様が絡んでいてね……。正弘様は「上下関係なくアドバイスを求めた」って言ってなかった？

言ってました！　あれめちゃくちゃいい案ですよね！

いいかもしれないけど、それって見方を変えたら好きに反対意見も言えるという事なんだよ。幕府公認でね……。

あ、なるほど！　言論の自由が生まれちゃったのかw

そう！　すると政治に関われなかった外様の大名や、下級武士、幕府の役人達も自分の意見を言うようになってね。幕府内では「条約賛成の開国派」と「条約拒否の尊攘派」で対立して一向にハリスさんと条約が結べないでいたんだよ。

ぴろすけ：めんどくさい展開になってきましたねw

岩瀬忠震：だから幕府は直接「**孝明(こうめい)天皇**」に条約の許可を求めに行ったんだ。これで許可が下りたら天皇の意向だって事で尊攘派の奴らを黙らす事が出来るからね。

ぴろすけ：なるほど！ 天皇命の彼らはグゥの音も出ませんね！

岩瀬忠震：だけどこれが裏目に出る事になる。天皇は外国人が嫌いだから「却下に決まってるだろバカタレ！」って条約を拒否したんだ。

ぴろすけ：うわー！ これはヤバイ展開ですねw

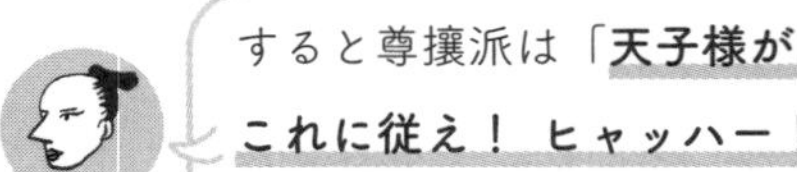

岩瀬忠震：すると尊攘派は「**天子様が自ら開国を否定した！ 幕府もこれに従え！ ヒャッハー！**」って調子に乗り出したんだよ。

ぴろすけ：もう開国なんて不可能じゃないですか！

岩瀬忠震：だけどそんな状況を一変する事態が起きる！ 開国派のトップだった「**井伊直弼(なおすけ)**」様が**【大老】**になったんだ。

ぴろすけ：大老？

岩瀬忠震：幕府の最高職。将軍の次に偉い人だと思ってくれたらいいよ。

ぴろすけ

べらぼうに凄い役職じゃないですか！

岩瀬忠震

大老になった直弼様は、幕府内での派閥争いに勝ち、強引に条約の流れに持っていった！ そして私も動けるようになり、ハリスさんと**日米修好通商条約**を結んだ。

1858年「日米修好通商条約」調印。

ぴろすけ

おお！ やりましたね!!

岩瀬忠震

だけどこの調印には問題があった。それは「**天皇の許可なく調印した**」という事だった。

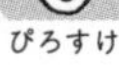
ぴろすけ

え？ そうなると尊攘派が暴れるんじゃ……。

岩瀬忠震

勿論。大暴れだよ！

ぴろすけ

やっぱな～……w

岩瀬忠震

そうなると井伊直弼様は彼らを抑え込む為**【安政の大獄】**という大粛清を行うんだ。この続きは直弼様に話を聞いたらいいよ。

ぴろすけ

分かりました！

幕末②

攘夷か開国か？分断される武士達

逆らう奴は全員粛清！ 大老・井伊直弼の手腕

天皇を支持して外国人を追い出す「尊王攘夷思想」が日本で流行る中、大老「**井伊直弼**」が天皇の許可なく開国させてしまった！

これに納得いかない尊攘派は暴れ出し、井伊直弼は「安政の大獄」という大粛清を行う事になる。詳しくは井伊直弼に話を聞くしかない！

直弼さん、プロフィールをどうぞ。

井伊直弼。1815年生まれで彦根藩（滋賀県）の藩主だったが、後に幕府の最高職【**大老**】を任された。居合の達人でもある。

居合は僕もやってますよ！ 流派はなんですか？

新心流（しんしんりゅう）だ。因みに免許皆伝してから「**新心新流**（しんしんしんりゅう）」という独自の流派も立ち上げたよ。

名前が安直過ぎるw じゃあ早速聞きたいんですが、

日米修好通商条約を結ぶ前、直弼さんは尊攘派と対立してたじゃないですか？ その事について詳しく教えてください。

井伊直弼

幕府内では条約を結びたい開国派の私の勢力と条約を拒否する尊攘派の「**徳川斉昭**（なりあき）」の勢力で真っ二つに割れていた。

井伊直弼

それでどちらも譲らない姿勢を見せていたんだけど、13代将軍の家定様が体調崩してね。後継ぎの子がいないという事で養子を取ろうという話が幕府で持ち上がった。私と斉昭はこれはチャンスと考えたんだ。

ぴろすけ

チャンス？ なんでですか？

井伊直弼

自分が推薦する人物が将軍になれば、幕府の政治主導権を握る事が出来るだろ？ だから【**徳川慶福**（よしとみ）】様を推す私と、自分の息子だった【**一橋慶喜**（よしのぶ）】を推す徳川斉昭で跡目争いが起きるんだ。

めっちゃドロドロしてますねｗ

ぴろすけ

井伊直弼

だけど家定様が私を**大老**に推してくれてね。それで状況は一変して、私は大老の力を使い慶福様を次の跡取りに内定させた。そして**日米修好通商条約**を強引に結んだんだ。

幕府の主導権を握ったんですね！

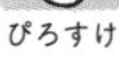

ぴろすけ

井伊直弼

だから私は「オランダ、ロシア、フランス、イギリス」とも条約を結んで、開国ラッシュを叩き込んでいったんだ。

開国祭りですねｗ　でもこんな開国したら尊攘派の斉昭さん達は黙ってないんじゃないですか？

ぴろすけ

井伊直弼

勿論！　日米修好通商条約も天皇の許可無く勝手に結んだしね。だから斉昭や尊攘派の有力者は「井伊！　テメー殺すぞ！」って怒りながら江戸城に押し寄せてきた。

ヤバいｗ　マジで殺されそう……。

ぴろすけ

井伊直弼

だけど安心してくれ。私は大老だよ？　うるせーよ！　馬鹿がっ！　って事で奴らを謹慎や隠居させて黙らせた！

圧倒的大老の強さ！

ぴろすけ

これで一旦は奴らを抑える事に成功したんだけど、これに黙ってない人がいた。それが**孝明天皇**だった。

出た！ ボスの登場ですね！

天皇は「許可無く条約結ぶんじゃねーよ！ 上下関係無くもっと話し合えや」と**【戊午(ぼご)の密勅(みつちょく)】**という手紙を送ってきた。

これは断れないですね……。

だから私は尊攘派に見られないようにこの手紙を隠そうとしたんだけど、天皇は斉昭がいる水戸藩にもこの手紙を送ってたんだ。

えぇ!? こんな手紙貰ったら尊攘派が盛り上がりますよ。

そうだ！ しかも、水戸藩の手紙には「**他の藩にも手紙を見せるように**」と付け加えられていた。これがとにかくヤバい。

どうヤバいんですか？

手紙が他の藩に渡ったら、天皇を担ぎ上げて、政治の主導権を奪う奴も沢山出てくるだろ？ 大名が天皇と直接関係を持つ事は危険なんだよ。

確かに！　これは危険過ぎますね！

ぴろすけ

井伊直弼

更に調べたら尊攘派の人間が公家とコンタクトを取って、水戸藩にこの手紙を送るように暗躍していたんだ。

裏でそんな事まで……。これ、ほったらかしにしたら幕府にとって危険過ぎませんか？

ぴろすけ

井伊直弼

勿論だ！　だから私は幕府の威厳回復と奴らの暴走を力ずくで抑える為に**【安政の大獄】**という大粛清を行ったんだ。

そういった理由で粛清を行ったんですね！

ぴろすけ

井伊直弼

私は幕府に逆らう人を謹慎、隠居、切腹、斬首と片っ端から粛清した。幕府の威厳を回復させる為に手段は一切選ばなかった。

恐怖政治で幕府の怖さをアピールしたんですね。

ぴろすけ

井伊直弼

それと水戸藩に届いた手紙もなんとか回収する事に成功した！　強引だったが尊攘派の暴走を止める事が出来たんだよ。

手段はどうあれ危機的状況は回避出来たんですね！

ぴろすけ

だけどこの強引なやり方に納得いってない武士達がいてね。私は彼らに恨まれ暗殺されてしまうんだよ。

1860年「桜田門外の変」。

教科書にも載ってる大事件ですね。

この暗殺は午前中たった18人の刺客により、江戸城の桜田門の前で行われた。

この余りにも無謀とも言える暗殺が成功したから「幕府は完全にオワコンじゃん！」と世間にアピールする形になってしまい、尊攘派も更に勢いが増すんだよ。

こっから立て直すのはかなりキツそうですね……。

だがこの状況を幕府は**【公武合体】**という策で立て直そうとする。この続きは14代将軍になった徳川慶福あらため「**徳川家茂**（いえもち）」様に話を聞くといい。

分かりました！ 聞いてきます！

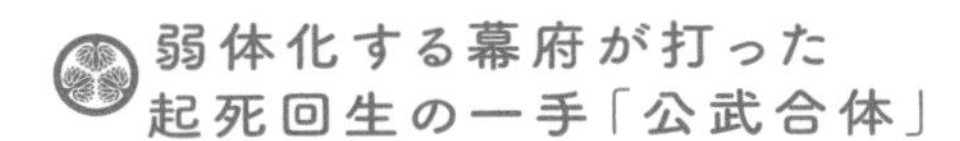

井伊直弼は、反抗する勢力を「**安政の大獄**」で大粛清したが、それに恨みを抱いた武士達は「**桜田門外の変**」で井伊直弼を暗殺した！

このせいで幕府の影響力も急激に低下するが「公武合体」で立て直

しを図ろうとする。14代将軍「徳川家茂」に話を聞いてみた。

家茂さん、まず自己紹介お願いします。

徳川14代将軍の徳川家茂だ。1846年生まれで、前の名前は慶福。井伊直弼が推薦した将軍候補が私だよ。因みに好きなものは甘味で、巷では「スイーツ将軍」と呼ばれてるぞ。

家茂の死因は虫歯と言われていて、31本の歯のうち30本は虫歯だったらしい。

将軍なのに女子っぽいですねwじゃあ家茂さんが将軍になってからの流れを教えてください。

まず井伊直弼が亡くなった事で尊攘派が勢いを増し、外様でも強力な藩が現れた。それが「**薩摩藩**（鹿児島県）、**長州藩**（山口県）、**土佐藩**（高知県）」だ。

肥前藩（佐賀県）も入れて西南雄藩(ゆうはん)と言う。

これらの藩は通称**【雄藩】**と呼ばれていてね、幕府はこの雄藩を警戒してたんだよ。

幕府も侮れない危険な藩って事ですね！

この3つの藩には沢山の尊攘志士達がいてね、中には幕

府の開国策に反発して暗躍してる人もいた。だから勢いに乗る尊攘派を抑える為にも幕府は**【公武合体】**を行おうと考えた。

なんですか？ 公武合体って？

これは「**幕府と朝廷が手を結び、協力しよう**」という政策だよ。互いにギスギスしてる状態だったから、幕府は私と孝明天皇の妹「**和宮**（かずのみや）」を結婚させて仲良くしようと考えたんだ。

これはいい考えですね！ 親戚関係になれば尊攘派も幕府に手を出せないし、弱った幕府の威厳も取り戻せる！

だけど事はそんな単純な話ではなかった。天皇の妹を武家に嫁がせるなんて前代未聞だし、和宮には許嫁（いいなずけ）がいて、色々と面倒な事が多かった。だから孝明天皇はある条件を付ける事でこれを許可したのさ。

ある条件？ なんですかそれは？

「**将来的に攘夷を必ず実行して、鎖国に戻す事**」。

これじゃあ開国した意味も無いじゃないですか！

そうなんだよ！ だが一刻も早く尊攘派を抑え込みたい幕

府は渋々それを認める事にした。

ぴえん……。でも、これで尊攘派はおとなしくなったんですよね？

いや、逆に尊攘派は「天皇を利用するな！」と怒り始めて、公武合体を主導してた「**安藤信正**（のぶまさ）」を襲撃したんだ。

1862年「坂下門外の変」。

完全に裏目に出てますやん！

安藤は一命は取り留めたが、背中を切られてね。武士のメンツを保てなかった彼は失脚させられ、公武合体も不穏な空気になり始めた。

もう踏んだり蹴ったりですね。

すると、そんな弱ってる幕府を見てた薩摩の権力者「**島津久光**（ひさみつ）」は、「幕府は弱ってるし、薩摩が公武合体を推し進めて朝廷を取り込めば政治の主導権も手に出来るんじゃね？ 乗るしかねー！ このビッグウェーブに！」って事で兵を引き連れて江戸に向かってきた。

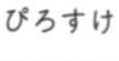

早速、雄藩の薩摩が動き出しましたね！

この久光殿は朝廷に気に入られ【**勅使**（ちょくし）】という役を与え

られた。これは天皇の命令を伝える使者の事で威厳も権力もある凄まじい役職なんだ。

ぴろすけ

完全に勝ゲー入ってるじゃないですか！

徳川家茂

そうだ。だから久光殿はその力を利用して幕府の改革を行い、井伊直弼によって力を失ってた「一橋慶喜」らを引き上げ、公武合体政策の中心になった。

ぴろすけ

もう久光に幕府乗っ取られた感じじゃないですか！

徳川家茂

そうだ！ 外様の大名に政治の主導権取られるなんて幕府では前代未聞だよ。

ぴろすけ

でもまぁ状況はともあれ、公武合体は進んではいるんですよね？

徳川家茂

いや、それも順調とはいかないのさ。公武合体は「攘夷をする事」が天皇と交わした条件だろ？ だからここで長州の尊攘派「**久坂玄瑞**（くさかげんずい）」が暴れ出す事になるんだよ。詳しくは彼に話を聞いたらいい。

ぴろすけ

早速行ってきます！

尊王攘夷の志士「久坂玄瑞」の登場！ 彼らの活動とは何か？

弱体化する幕府は朝廷と手を結び、起死回生の「公武合体」を行う事を決めた。だけど、天皇から下された条件は「**絶対に攘夷をする事**」。

その尊王攘夷運動でひと際目立つ「久坂玄瑞」に詳しく話を聞いてみた。

ぴろすけ

玄瑞さん、早速プロフィールをお願いします。

久坂玄瑞

久坂玄瑞。1840年長州藩に生まれた。僕は「吉田松陰」先生の弟子でもある。

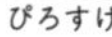

吉田松陰？ どういった方なんですか？

久坂玄瑞

長州の尊攘派の教育者だ。「松下村塾（しょうかそんじゅく）」という学校の先生でね、先生の影響もあって長州はバリバリの尊王攘夷大国になった。

ぴろすけ

そんな凄い先生がいたんですね！ で、ちょっと気になるんですけど、尊王攘夷って具体的にどんな事をやるんですか？

久坂玄瑞

色々あるけど、まず運動するにあたって、大きく2つの方向性がある。**1つ目は「藩論を握る」、2つ目は「藩を捨てて活動する」**だな。

ほうほう、これは重要なんですかね？

重要だな。まず「**藩論を握る**」は、自分の藩が「開国」「尊王攘夷」「公武合体」のどれを推していくのか？ この方向性さえ決まってれば、藩をあげて活動出来るし、藩からバックアップしてもらえるだろ？

確かに！ 会社も企業理念や売りにしている色がありますもんね。

そう！ だから長州は尊王攘夷の為に公家と関わりを強くしてたし、薩摩は公武合体の為に幕府で発言力を強めようとしていた。自分のやりたい方向に藩論を向かわせる事が大事なんだ。

だから僕は藩主を説得して、長州藩を尊王攘夷に染め上

げた。

なるほど！　なるほど！

そしてもう１つが「**藩を捨てて活動する**」。これは藩の方向性と自分の方向性が違う場合があるだろ？

藩は開国派だけど自分は尊王攘夷みたいな？

そう！　そういう人がこの時代に無茶苦茶いた！　だから藩を説得出来なかったり、立場的に無理な場合は、藩を捨てて同じ思想の人と関わりを強めていく。これが大事なんだ。

藩を捨てる事は「脱藩」と呼ばれ、当時は大罪だった。

要するに、会社を辞めてフリーランスで活動するって事ですかね？

そんな感じだね。国の為に命を懸ける人達を当時は**【志士】**と呼んだ。そんな尊王攘夷運動の主な活動が「**天皇を後ろ盾に、幕府に攘夷するよう説得する**」「**邪魔だなと思う人を暗殺する**」だな。

……暗殺？　めっちゃ怖いんですけど……。

政治的に厄介な奴はこの時代、沢山暗殺されたよ。その

中には**【幕末四大人斬り】**と呼ばれる暗殺名人もいた。土佐の「岡田以蔵（いぞう）」、薩摩の「田中新兵衛」「中村半次郎」、肥後（熊本県）の「河上彦斎（げんさい）」が幕末四大人斬りと呼ばれる。

この時代に生れてなくて良かった……汗

こういった暗殺も、幕府が攘夷を決行する気配が無いから、プレッシャーをかけてた面もある。そもそも公武合体は攘夷する為に行ったんだろ？

孝明天皇と幕府は約束しましたね！

なのに幕府は攘夷する気配を一切出してなかった。だから僕は公家の人達に相談して幕府に攘夷してもらうように働きかけた。そしたら家茂公は孝明天皇に呼び出されて「いつ攘夷するんじゃオイ！」って詰められた。すると家茂公は「**1863年5月10日に攘夷しますぅ～泣**」と約束したんだよ。

折れちゃダメだろ！　家茂さぁ～ん！

それなのに幕府は攘夷する動きを見せなかった。でもこっちとしては攘夷の大義名分を貰ったぜ！って事で約束通り5月10日に**馬関（ばかん）海峡（現在の関門海峡）**を通る外国船に、砲撃をぶっかましたんだ。

ついに本格的な攘夷が始まったんですね。

だけど列強の軍事力は強烈でね……。僕は長州の力だけじゃ攘夷は無理と理解した。だから日本全体で攘夷をして外国と戦おうと考えたんだ。

でも幕府は攘夷する気無いですよね？ それ可能なんですか？

だから僕は「**天皇を攘夷の大将にして外国と戦う**」と心に誓ったんだ。

え!? 天皇を大将に？

そう！ 天皇が旗頭になれば、天皇を守る為に諸藩も幕府も動くしかない。嫌でも日本は攘夷する事になるんだよ！

発想が怖過ぎる！ それで天皇は大将を受けてくれたんですか？

いや、天皇は「**攘夷は幕府が中心でやってほしい**んだけど！ 長州の発想危な過ぎるわ……」って事で公武合体派の人間にお願いして、長州と長州に味方してる公家を京から追い出したんだ。

1863年「八月十八日の政変」。

え!? 慕ってた天皇に長州は追い出されるんですか!?

そうだ。因みに僕らを追い出したのは「薩摩藩」と「会津藩（福島県）」で、ここから長州は奴らを憎むようになっていく。

天皇が攘夷したいと言ってたから長州は頑張っていたのになんか腑に落ちないですね……。

そこから天皇は「**やっぱり徳川に任せないと天下は治まらんわ。慶喜ちゃん。アンタが仕切って**」って事で一橋慶喜に**【禁裏御守衛総督（きんりごしゅえいそうとく）】**という役職を与えた。

禁裏御守衛総督ってなんですか？

これは天皇を守る最高責任者みたいなものだ。だから慶喜は一番発言力が強い存在になったって事さ。

完全に慶喜さんの時代が到来してるじゃないですか！

だから慶喜は幕府を乗っ取っていた薩摩の島津久光を失脚させて、幕府に忠誠の厚い「**会津藩と桑名藩（三重県）**」をそばに置き、天皇を取り込んで政治の主導権を手にした。これを**【一会桑政権（いちかいそう）】**と呼ぶよ。

こうなったら政治に薩摩も長州も入り込む隙間がない

ですね。

久坂玄瑞

まさにそんな感じだな。でも長州としては攘夷をしない幕府に天皇を預けられない。だから京の「**池田屋**」に密かに集まり、ある計画を行おうとした……。だがそれを【**新選組**】に止められてしまうんだ。

ついに来ましたね！ 新選組！

ぴろすけ

久坂玄瑞

この辺の話は新選組の局長「**近藤勇**(いさみ)」に聞くといいよ。

分かりました！

ぴろすけ

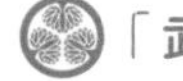「武士よりも武士らしく」新選組の登場！

天皇と攘夷の約束をする為、上洛する事を決めた徳川家茂。しかし、京は尊王攘夷の志士達が暗殺を繰り返し、荒れに荒れていた。そんな暴走を取り締まる為、ある組織がここに生まれる事になる。それが誠の剣豪集団「**新選組**」。

早速、局長の近藤勇に話を聞いてみた。

近藤さん。自己紹介お願いします。

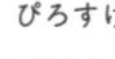
ぴろすけ

近藤勇

近藤勇。1834年に武蔵国多摩（東京都調布市）に生まれ**天然理心流**(てんねんりしんりゅう)4代目宗家であり、新選組の局長・近藤勇だ。

新選組はテレビでも人気ですよね。因みに【**天然理心**

ぴろすけ

流】というのはどういったものですか？

天然理心流は武州多摩（東京都、埼玉県の一部）で栄えた流派で「**負けない剣**」が特徴の実戦剣術さ。

負けない剣？

早い話、腕が無くなろうが、指が無くなろうが負けなければいい！ その絶対的な胆力こそ天然理心流の特徴だ。

凄まじい剣術ですねｗ

特に農民の間で普及してた流派でね。実際、私も元は農民だよ。

農民から新選組の局長になるなんて凄い！ 因みにどういった背景で新選組の局長になって活躍するんですか？

徳川家茂様が天子様にお会いする為、上洛したのは知ってるか？

家茂さんが天皇に攘夷の約束をしに行った話ですかね？

そうだ。当時の京は過激な尊攘派が暴れ回っていてね、治安は最悪で危険な場所だった。だから幕府はある募集

をかけたんだ。

**“上洛する将軍様のボディーガードを集める。
身分は問わないから参加したい人は集まれ”**

ぴろすけ

身分問わず！ これは熱いですね！

近藤勇

農民出身でも国の為に働けると思い、私はこれに参加した。これが新選組の前身になる「**壬生（みぶ）浪士組**」だよ。

ぴろすけ

なるほど！ ここから新選組の物語は始まっていくんですね。

近藤勇

でも順調に進んだ訳じゃない。浪士組の発案者である「清河（きよかわ）八郎」という男がいたんだけど、奴は過激尊攘志士のリーダー的存在でね。奴は京に到着すると「**我々は天子様の為に戦う攘夷の志士です！ 江戸で攘夷運動があるから帰ります！**」と言い始めた。

ぴろすけ

あれ？ 将軍様のボディーガードは!?

近藤勇

そんなのやらない！ 清河は「**将軍警護の為に集めた浪人を天皇直属の攘夷集団にする**」って思惑があったんだよ。

ぴろすけ

な、なんだって!?

近藤勇

それで多くの浪人達は清河に従って江戸に帰っていっ

た。清河を拒絶して京に残ったのは私の仲間と数人の浪人達だけだったよ。

浪士組も影も形も無いじゃないですか！

だけど京の治安を担当していた会津藩主「**松平容保**（まつだいらかたもり）」様が我々の存在を知ってくれて、うちで働くか？と誘ってくれたんだ。

おぉ！ スカウトされたんですね！

それから会津藩の預かりとして、京の治安警護を任されるようになり、私は局長になった。

こっから本格的に活動ですね！ 新選組といえば水色の羽織がチームカラーですよね？

あれは**浅葱色**（あさぎ）といって、切腹の時に着る正装と同じ色な

んだ。だから新選組は「**常に死ぬ覚悟はある**」という気持ちで活動していたんだ。

そんなカッコいいメッセージが隠されていたとはw

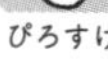

だけど隊士に評判悪くて、目立ち過ぎるのもあって2年で着るのやめたよw

それからは全身黒の服装になったそうだよ。

あのカッコいいメッセージは何処にw

そっから容保様に認められ【**新選組**】という名を頂いた。この名前は「過去に会津を守ってた精鋭部隊」と同じ名前らしいぞ。

カッコいいですね！

それと新選組には武士よりも武士らしくある為に鉄の規則があったぞ。

局中法度

1. 士道に背く事は禁止
2. 局を脱する事は禁止
3. 勝手に金策する事は禁止
4. 勝手に訴訟する事は禁止
5. 勝手に私闘する事は禁止（5は無かったという話もある）

これに背く者は切腹。

これは知ってます！「局中法度（きょくちゅうはっと）」って言うんですよね？

局中法度？ この規則に名前は存在しないよ。

「局中法度」という名前は、当時の文献に記録されてない。新選組が戦に参加した時に守る軍中法度を参考に後に名付けられたとされる。

意外な事実なんですけどw じゃあ話は変わりまして久坂さんが池田屋事件のある計画を新選組に止められたと話していたんですけど、その事について教えてください。

分かった。八月十八日の政変で京を追い出された長州は、なんとか立て直しを図る為、密かに京にある「池田屋」に集まっていた。

その計画とはなんですか？

そこで彼らが考えていた計画というのは、京に火を付けて混乱に乗じた所を天子様を誘拐し、長州で攘夷を無理やり実行するという恐ろしいものだったんだよ。

とんでもない計画ですね！ 長州はやる事が過激過ぎるw

この情報を摑んだ新選組は計画を阻止する為に出動した。だがこの時は池田屋で集まってる情報までは摑んでいなくて、新選組は隊を分けて奴らの集会場所をひたすら探し回った。

早くしないと京が燃やされますよ！

だが我々、近藤隊が「池田屋」で集まっている事を発見して、池田屋に踏み込み奴らの計画を阻止する事に成功した。因みに池田屋にいた志士達は20人以上、中で戦ったのは私を入れて４人だけだった。途中、他の隊も駆けつけて、なんとか止める事が出来たんだ。

４人だけで持ちこたえるとか化け物かよ……。

だけどこの池田屋事件をキッカケに長州は更に過激になってね。彼らは**【禁門の変】**を起こす事になるんだよ。

それはどういったものなんですか？

分かりやすく言うと「**俺達は何も悪い事はしてない！ 天子様に誤解を解きに行くぞ！**」と兵を集めて御所に乗り込んだ事件だよ。

御所とは天皇の住居の事。

もう行動が異常過ぎるw

奴らの暴走を止めるべく新選組、薩摩藩、会津藩は長州と戦った。結果は我々の勝利に終わり、この戦いに参加してた久坂玄瑞は切腹をしたんだ。

玄瑞さん……。

長州藩はこの一件で完全に朝廷に嫌われてね、**【朝敵】**の烙印（らくいん）を押されてしまうんだ。

「朝敵」：朝廷や天皇が認めた敵。国家を脅かす敵なので遠慮なくボコボコに出来る。

このままじゃ長州は幕府に潰されてしまいますよ……。

だがその状況をひっくり返す男が現れる。それが長州の革命家「高杉晋作（しんさく）」だ。この続きは彼に話を聞いたらいいよ。

分かりました！　早速聞いてきます！

絶望の長州藩で立ち上がった革命家・高杉晋作

影響力を失った長州は再び復活すべく池田屋に集結するが、「**新選組**」の登場であえなく撃沈。その後の「**禁門の変**」でも敗れてしまい、長州は朝敵のレッテルを貼られてしまう。

しかし！ そんな状況をひっくり返す革命家が長州にいた！

その男の名は「高杉晋作」。彼に話を聞いてみよう！

高杉さん！ 早速プロフィールをお願いします！

高杉晋作。1839年に長州藩で生まれた。吉田松陰先生の弟子でもある。

おお！ また松陰先生の教え子ですか！ 久坂玄瑞さんと同じですね。

久坂と僕は仲間でありライバル関係でね。先生には「**晋作の考えと玄瑞の才があれば、この世に出来ない事は無い**」と評価してもらったよ。

ベタ褒めじゃないですか！

だけど僕は頑固でね。これだと思ったものには藩だろうが逆らっていた。

高杉晋作は藩の金で勝手に軍艦を買ったり、勝手に脱藩したり、攘夷のやる気が無くなって出家したり、色々やりまくってますw

よく言うと自分に真っ直ぐな人なんですね！ でも気になっていたんですけど、なんで長州はそこまで攘夷にこだわってるんですか？

松陰先生の教えもあるけど、当時、清朝はイギリスと「アヘン戦争」というのを行ってボコボコにされた。そのせいで清朝はイギリスに不平等な条約を結ばされて、一部は植民地状態にされたんだ。

そんな事があったんですね……。

この戦争は日本でも噂になっていてね、日本も清国のように植民地にされるかもしれないって事で多くの攘夷志士が立ち上がったんだ。それは長州も同じだった。

なるほど。そういう事もある中で開国したら、攘夷運動も高まりますね。

特に僕は清国に行った事があってね、清国の人を奴隷のように扱ってるイギリス人をこの目で見てるから、危機感を誰よりも感じていた。だから強い兵を育てる為に【奇兵隊】という組織を生み出した。

奇兵隊？　どんな組織ですか？

奇兵隊は「**志あるなら身分は問わず入隊ＯＫ**」「**武器も格好も西洋式**」の部隊だ。

誰でも入隊出来るなんてこれは熱い！

これからは武士が偉そうに戦う時代じゃない。身分の垣根を越えて協力しないと列強に後れをとるからな。

まさに革命です！

だけど知っての通り、長州は朝敵の烙印を押されちまった。そんなヤバい状況で「アメリカ、イギリス、オランダ、フランス」の連合艦隊が長州に攻撃をしかけてきたんだ。

列強のオールスターやんけ!! なんで攻めてきたんですか？

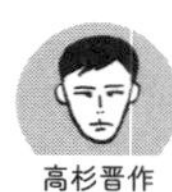

5月10日に**馬関海峡**を通る外国船に砲撃をぶっかましたろ？ その報復で列強は長州に攻撃をしかけてきたんだよ。

やられたらやり返す！ 世の常ですね……w

この攻撃でボロ雑巾にされた長州は連合軍と仲直りする為に講和する事になる。その交渉役に僕が選ばれたんだ。

これは責任重大ですね……。

それで色々交渉したんだけど、どうしても認められないのがあった。それが「**彦島(ひこしま)を貸してほしい**」という要求だった。

ぴろすけ

彦島って山口県にある島ですよね？

高杉晋作

そうだ。彦島を貸したら奴らに植民地にされる可能性がある。だけど、戦にやられた我々は断る術が無い……。考えた末、僕は『**古事記**』を読む事にした。

ぴろすけ

『古事記』？ あの日本最古の歴史書とも言われる？

高杉晋作

そうだ。

ぴろすけ

なんで？

高杉晋作

訳が分からない事を言い続けて「もうやめてー！」ってさせる作戦だよ。

ぴろすけ

なんだそのトリッキー過ぎる作戦は！

高杉晋作

そして無事作戦は成功して彦島を守る事が出来た。

ぴろすけ

成功したのかよ！ さすがは破天荒・高杉晋作……。

高杉晋作

それと「**賠償金300万ドル払え**」とも言ってきたんだけど、これは払う事は出来ない。今で言うと900億円くらいだからな。

ぴろすけ

ギャグみてーな値段だな！

だから僕は「**幕府が攘夷を約束した日に俺らは攻撃したから、払うのは幕府が筋だろ**」と言って幕府に取り立てるように仕向けたよ。

鬼過ぎる！

因みに幕府はこれをローンで払う事になってね。賠償金の3分の2を減免する条件で外国の輸入税が一律5％になった。ここから**本当の意味での不平等条約が始まる**のさ！

え!? 不平等条約って長州藩が作り出したんですか??

あ、これオフレコだった。忘れて！

いや、さすがに無理でしょ！

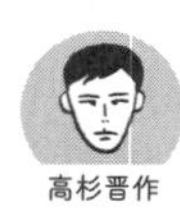

こんな感じで戦いの後処理は終わるんだが、幕府は長州を潰す為に**【第一次長州征伐】**を行う事になる。その兵力は約15万だった。

あぁー……。もう長州終わりだ……。

だけど長州は3人の家老を処分する等を条件になんとか戦だけは回避した。

ぴろすけ

あぶねー！　ギリギリ助かったんですね！

高杉晋作

だけどまだまだ問題があった。長州では「幕府に逆らうのはやめよう」という**【俗論派】**と「幕府に媚びるな！　尊王攘夷だろ！」という**【正義派】**に分かれて対立した。そして長州の実権を握ってたのは俗論派の連中だったんだ。

ぴろすけ

さすがの長州も幕府に逆らうのは諦めムードだったんですね。

高杉晋作

しかし俗論派に支配されてちゃ長州は滅ぶだけだ！　だから僕は仲間の所に行き、俗論派を倒して実権を取り返そうと説得したんだ。

ぴろすけ

クーデターを決意したんですね！

高杉晋作

……だけど結果を言うと仲間に僕の言葉は届かなかった。危険過ぎる戦いというのもあるけど、僕の失言でドン引かれてしまったんだ。

ぴろすけ

失言？　どんな事を言ったんですか？

高杉晋作

俗論派に肩入れしてる奴と喧嘩をしてね、勢い余って「**名家の僕に指図するんじゃねーよ！　百姓がよ！**」と奇兵隊がいる前で差別発言しちゃったんだ。

ぴろすけ

え？ バカなのあんた？

高杉晋作

まさか奇兵隊を創った人がこんな発言するとは周りは思ってなかったからね。エゲつない空気になったから「**12月15日に功山寺(こうざんじ)の前に集合だから！ よろ！**」と発言してダッシュでその場を出ていった。

ぴろすけ

ダセー!! w それで当日は何人集まったんですか？

高杉晋作

84人しか集まらなかったよ w 笑っちゃう数だよね w

ぴろすけ

もう最後は綺麗に散ってくれ！

高杉晋作

だけどいざ戦いが始まると僕達は俗論派に痛恨のダメージを与えてね！ 戦いが優位に運ぶと仲間も集まり出して、このクーデターは成功する事になるんだよ。

ぴろすけ

この人色々おかしいけど天才なんだな……。

高杉晋作

そして長州の実権を手にした僕は再び長州を尊攘派に染め上げた！ だけど今のままじゃ攘夷は難しいと志士の中でも理解し始めてね、次第に志士達はある野望を抱くようになる。

ぴろすけ

その野望とはなんですか？

高杉晋作

幕府を倒して新しい時代を創る**【倒幕】**だよ！

ぴろすけ

おお！ ついに幕府と戦うんですね！

高杉晋作

あぁ！ そして、長州藩はある藩と手を組み、それを実現する事になるんだけど、その架け橋をしてくれた人物が「**坂本龍馬**（りょうま）」だ。

ぴろすけ

ついに龍馬さんに辿り着きましたね！

高杉晋作

詳しくは彼に聞くといいよ！

ぴろすけ

勿論です！

幕末③

幕府政治の終焉と目指すべき新しい国

犬猿の仲だった薩長の仲介者・坂本龍馬の本当の姿

高杉晋作の登場で再び力を取り戻した長州だったが、今のままじゃ攘夷出来ない事も事実だった。そんな時に登場したのが土佐の英雄「坂本龍馬」。彼の登場で長州はある藩と同盟を結び、一気に時代は倒幕に突き進む事になる！ 龍馬は世間では英雄と呼ばれるが、実際はどうなのだろうか？ 話を聞いてみる事にした。

ぴろすけ

では龍馬さん。自己紹介をお願いします。

坂本龍馬

坂本龍馬じゃ！ 1835年生まれ土佐藩出身。身分は**郷士**（ごうし）ぜよ。

ぴろすけ

郷士？

坂本龍馬

身分の1つぜよ。土佐は上級武士が「**上士**（じょうし）」、下級武士が「**下士**（かし）」と分かれちょって、郷士は下士に入るがよ。土佐は身分に厳しい国でも有名だったきに。

じゃあ辛い生活も送ったんじゃないですか？

そうじゃね。やき、下級武士達は藩に不満持つ人が多くてのぉ。上士は徳川に恩を受けちょるから幕府の味方が多くて、下士は尊攘を志す奴が多かったぜよ。

長州と違って土佐は身分によって目指す思想が割れていたんですね！　となると龍馬さんも尊攘派ですか？

最初は尊攘派だったけんど、ただ攘夷、攘夷言うがは違うと思ってたぜよ。やき、自分なりの世直しを考えちょる時に出会った人が「**勝海舟**(かつかいしゅう)」先生じゃった。

勝海舟？　どういった方ですか？

勝先生は幕府の役人で開国派で有名な人じゃった。攘夷派から嫌われちょったから、ワシは勝先生をぶった斬ってやろうと思ってたんじゃが、話を聞いたら凄いのなんの！　外国に対抗するには奴らと商売して儲ける事、海軍を作る事、目からウロコな話がバンバン飛んできおった！

この当時、海軍を持つなんてどれだけの志士達が考えてたんでしょうね。

全く考えんかったと思うぜよ。やき、ワシの世直しはここじゃと確信して、勝先生に弟子入りした後は**【神戸海**

軍操練所】の指導者をやったりして船の扱いも覚えたぜよ。

ぴろすけ

船を使って世直し！ それが龍馬さんの道だったんですね。

坂本龍馬

じゃが神戸海軍操練所には幕府に反抗する志士も沢山おって、後に解散する事になるがぜよ。ワシや土佐の仲間も路頭に迷う事になってしもうた……。

ぴろすけ

マジか……これからって時に泣。

坂本龍馬

やき、そがな状況を救ってくれたがは薩摩じゃった！ 薩摩は海外から軍艦を沢山買うたけど、いかんせん航海術に優れちょる人がおらんかった。ほいでワシらに声をかけてくれたがぜよ。

ぴろすけ

おお！ なんてタイミングだ！

坂本龍馬

そっからワシは薩摩の船を貸りて仕事するようになるがよ。それが世間で言う**【亀山社中（かめやましゃちゅう）】**じゃ。

ぴろすけ

これ知ってます！ 長崎の亀山に造られた「日本初の株式会社」で貿易業をやってたとか。

坂本龍馬

世間でそういう風に広まっとるけど、実際はちくっと違うぜよ。本当の名前は**【社中】**言うて「**薩摩の指示の下**

で船を動かすチーム」じゃった。日本初の株式会社なんて大層なものと違うぜよ。

ええ!? なんか脚色されて世間に広まってるんですね。

ぴろすけ

亀山社中の呼び名は明治時代になってから付けられたと言われている。初の株式会社というのも否定されつつある。

衝撃の事実の連続なんですけど……！

ぴろすけ

坂本龍馬

話を戻してワシは正直、今の幕府のままじゃ日本を外国から守れん思うとった。これからは「雄藩」と力を合わせて頑張らんといかんのに、幕府は未だに雄藩の影響力を抑えようとする節があったぜよ。

その幕府が力を抑えたい雄藩というのはどこなんですか？

ぴろすけ

坂本龍馬

1つは幕府に反抗しちょる長州。もう1つは今のところ幕府に味方しちょる薩摩ぜよ。

やっぱりそこなんですね。

ぴろすけ

坂本龍馬

長州ばかりが幕府にやられちょる印象あるけんど、実は薩摩も幕府に警戒されちょった。久光公が幕府の主導権を取った過去があるし、第一次長州征伐の時は薩摩と長州をぶつけて互いの力を削ごうとも考えちょった。

薩摩も幕府に潰されかねない危険な感じですね。

ぴろすけ

坂本龍馬

それに政治の主導権は一橋慶喜に握られとったし、その中心メンバーも会津藩と桑名藩。薩摩は日陰の生活で「幕府に味方しても旨味無くね？」と思うようになったぜよ。

ならら薩摩と長州が協力して一緒に倒幕した方がワンチャンありそうですよね？

ぴろすけ

坂本龍馬

まさにそうやった！ そがな時に同じ土佐出身の「土方久元」「中岡慎太郎」が「**薩摩と長州に手を組ませよう**」と動き出しちょって、ワシも彼らに乗っかる事にしたぜよ。

おお！ これは面白くなってきた！

ぴろすけ

坂本龍馬

やき、これは簡単じゃなかったんじゃ。長州は「八月十八日の政変」や「禁門の変」で薩摩にこっぴどくやられとるから、薩摩が大っ嫌いじゃった。同じく薩摩も天皇を独占しようとする過激な長州が嫌いで、言うたら犬猿の仲じゃった。

これは仲良くさせるの至難の業ですね。

ぴろすけ

坂本龍馬

じゃが手を組んだら幕府だって倒せるかもしれん。じゃから長州のトップ「**桂小五郎**（かつらこごろう）」と薩摩のトップ「**西郷隆盛**（さいごうたかもり）」を会わせて話し合いさせる事にしたがぜよ。

なるほど！　トップなら私情を挟まずメリットを理解出来そうだし、上手くいきそうですね！

じゃがこれは失敗に終わるぜよ。なんとその話し合いの席に西郷さんだけ来んかった。

えぇー!? ドタキャンしたんですか？

そうじゃ。そのせいで桂さんは激怒して、薩摩と長州の溝は更に深まったぜよ。

何してんだよ！　西郷！

こがな状態だともう修復不可能やろ？　やき、桂さんになんとかならんか尋ねたら「**薩摩名義で外国から最新の銃**

を購入してくれるなら同盟を考える」と言うたぜよ。

なんで薩摩名義で？

実は幕府は外国の貿易商人に「**長州に武器を売るなよ**」と釘を刺しとって、長州は外国から武器を購入出来んくなっとったんじゃ。

なるほど！ これで買えたら友好深まりますね。

そうじゃろ？ その事を西郷さんに言うと了承してくれて、西郷さんも条件付けてきたぜよ。

なんて条件付けてきたんですか？

「**薩摩は米が不足してるから長州の米を送ってほしい**」という条件じゃ。

長州は薩摩に「米」、薩摩は長州に「武器」……お互い歩みよってきてますね！

こんおかげもあって桂さんと西郷さんはもう一度会う事になり、2人は京で同盟の話し合いをする事になったがじゃ。

ついに時代が動き出すんですね！

……じゃがここに来て気持ちを裏切られる事態が発生するぜよ。数日時間があったのに、2人は全く同盟の話し合いをしとらんかった。なんなら桂さんは長州に帰ろうしちょったぜよ。

え!? なんで話し合いしてないの!?

話を聞いたら、両藩とも同盟の話を切り出そうとせんかったんじゃ。桂さんに至っては「**こちらからお願いしない！ そんな事をしたら、長州は薩摩に助けを乞うようなものだ！**」と自分から切り出すのは頑(かたく)なに拒否したぜよ。

いや、長州が無くなるかもしれないのに……。なんだよそのプライド！

そう思うかもしれんけど、天皇に見限られた長州の立場や、薩摩に対する恨みはワシらには想像出来ん悔しさがあるぜよ。そがな状況でこちらから協力しよう言うがは武士として出来んぜよ。

……ボロボロになっても絶対に信念を曲げない。尊攘を貫く長州らしいですね！

やき、ワシは西郷さんの所に行って説得した。「**この同盟は薩摩でも長州でもない！ 日本の為の同盟ぜよ！ これからの未来の為に、手を組まんといかんぜよぉ！**」

熱い……！ 熱過ぎるぜぇ……!!

すると西郷さん、桂さんに同盟のお願いをしに行ってくれたぜよ。そして薩摩と長州はついに同盟を結ぶ事が出来たんじゃ！

1866年「薩長同盟」成立。

あの仲の悪かった両藩がついに……！ 手を結べたのは本当に坂本龍馬さんのおかげですね！

いや、これを実質的にまとめ上げたのは薩摩藩家老「**小松帯刀**（たてわき）」さんぜよ。この人が薩摩と長州の間を繋げて、この同盟の許可も藩主にお願いしたと言われてるぜよ。

え!? 龍馬さんが全て成し遂げたんじゃないんですか？

ワシはどちらかと言うと薩摩と長州の仲介業者ぜよ。なんなら社中の船やお金、薩長の武器や米の繋がりも帯刀さんの名義貸しで成り立ってるぜよ。

やき「**薩長同盟は小松帯刀が結ばせた**」と言うのが正しいぜよ。

最近では坂本龍馬が薩長同盟の立役者という認識は薄まりつつある

(泣)。ただ、後世でヒーロー扱いされ過ぎてしまっただけなので、龍馬の功績を否定してはいけない。彼の仲介と人柄があって時代が変わったのは事実！

あ、あまり聞きたくなかったぜよ……。

その後、幕府は長州を潰す為に**【第二次長州征伐】**を行う事になるぜよ。じゃが薩長同盟があるき薩摩藩は戦争に参加する事は無く、近代兵器を持ち軍隊も西洋式に変更した長州は幕府軍を圧倒したぜよ。

生まれ変わった長州は強し！

更に運も味方したぜよ。幕府軍の大将・徳川家茂が途中で亡くなり、同じ時期に天子様（孝明天皇）が崩御したぜよ。さすがにこの状況じゃ戦えんって事で、幕府軍は戦争を中止したんじゃ。

やられっぱなしの長州がついに！　このまま一気に倒幕ですね！

じゃが幕府には侮れん男がいたぜよ。それが15代将軍に就任した一橋慶喜こと「徳川慶喜」じゃった。詳しくは彼に話を聞くといいぜよ。

早速行ってきます！

止めるが先か、潰すが先か!?
幕府終了「大政奉還」

薩長同盟で手を結んだ薩摩と長州。進化した長州は幕府軍を**第二次長州征伐**で打ち破り、一気に倒幕に突き進む事になる。

だが15代将軍に就任した「徳川慶喜」の登場で薩長の思惑が狂う事になってしまう。徳川慶喜に話を聞くしかないぜ！

では慶喜さん、プロフィールをお願いします。

一橋慶喜を改め徳川慶喜。1837年生まれで15代将軍になった。因みに父は水戸藩の徳川斉昭だ。

斉昭さんは井伊直弼さんと将軍の跡取り争いしてた人ですよね？

そうだ。父は尊王攘夷派としても過激だったが性格も過激でね、私の寝相が悪いという理由で、枕元に剃刀(かみそり)を置いて無理やり寝相を直そうとした事があるよ。

とんでもないスパルタ教育ですねｗ じゃあ話に入るんですけど、第二次長州征伐の後、幕府はどんな感じになったんですか？

家茂様が亡くなった後、私は将軍に選ばれた。西郷隆盛達も倒幕にシフトチェンジして、雄藩の土佐と協力する動きを見せ始めたんだ。

パワーアップして幕府を倒そうと考えたんですね。

だけど、土佐の実権を握ってた元藩主「**山内容堂**（ようどう）」は薩摩への協力を渋っていた。山内家は徳川に恩義がある家柄だったから、武力倒幕を考える薩摩に協力したくなかったんだ。

なるほど。徳川を裏切る事が出来なかったんですね。

だけど時勢は完全に倒幕だから、土佐もこれを無視出来ない状況にいた。だから土佐藩家老の「**後藤象二郎**（しょうじろう）」は悩んでいたんだけど、彼は坂本龍馬から「**大条理**」の考えを教えてもらい土佐はその状況を解決させる。

大条理？

これは「**幕府が政治をやる武家政治ではなく、朝廷が仕切ってた頃の政治に戻す。そして将軍を無くして大名と同じ扱いにする**」という考えだ。幕府が持ってる政治の実権を天皇に返す**【大政奉還】**ってやつだよ。

龍馬が考えた「**船中八策**（せんちゅうはっさく）」から大政奉還のヒントを得たと言われるがこれは**明治の創作と言われている**。

大条理も「**大久保一翁**（いちおう）」という人物が龍馬に教えた考えなので、龍馬の発案じゃない。

おお！ これは教科書にも載ってますね！ でもこれにするメリットあるんですか？

ぴろすけ

まず自ら政治権利を朝廷に返す事で血を流す事なく倒幕は成立する。そうなると薩長は武力倒幕する意味も無くなるし、徳川家も生き残る。土佐にとったら今すぐやりたい考えなんだ。

徳川慶喜

めっちゃ良いとこ取りですやん！

ぴろすけ

だから後藤は容堂に許可を貰い、幕府に提案しようと動き出すんだけど、同じ時期に薩摩は武力倒幕する為、公家の「岩倉具視（いわくらともみ）」に**【倒幕の密勅】**を薩摩に送ってもらおうと動き出した。

徳川慶喜

倒幕の密勅？

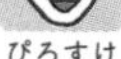
ぴろすけ

これは幕府や徳川に味方をする人を潰せという天皇から送られた倒幕の命令文だ。

徳川慶喜

え!? 天皇から？ すると天皇も倒幕を認めたって事ですか？

ぴろすけ

いや、これは岩倉が作った偽の文書と言われている。岩倉と薩長は「**天皇から倒幕命令が下された**」と偽の大義名分を作る事で、強引に倒幕しようと考えたんだよ。

徳川慶喜

クソヤバいじゃないですか！

この計画を知った後藤は焦り、すぐさま幕府に大政奉還案を提出した。それを貰った私は二条城に家臣達を集めて大政奉還案を伝えた。

ヤバい、時間無いですよ！

同時に薩摩は密勅を長州に送り、倒幕の準備を進め始めた。私も家臣から大政奉還の承認を得ると、早速この案を朝廷に提出して、その許可が下りるかどうか待つ事になったんだ。

武力倒幕が先か？ それとも大政奉還が先か？ どうなるんだ!?

結果は……大政奉還が認められた。

1867年10月14日「大政奉還」成立。

おお！ やりましたね！

因みに、大政奉還が成立した時と、長州が密勅を受け取った時は同じ10月14日。大政奉還が少しでも遅かったら武力倒幕されてたよ。

マジでギリギリじゃないですか!!

徳川慶喜

私が自ら幕府を終わらせた事で、薩長は倒幕で振り上げた拳を下ろすしかなくなった。完全に奴らの動きを止める事に成功したんだよ。

ぴろすけ

でも、幕府が無くなったら慶喜さんも辛いんじゃないんですか？

徳川慶喜

いや、幕府が無くなっても「**徳川**」が無くなった訳じゃない。私は幕府が無くなってもやっていける自信があったから大政奉還をしたんだよ。

ぴろすけ

やっていける自信？

徳川慶喜

今まで幕府が政治を回してたんだぞ。ずっと政治をしていなかった朝廷にスッと国を回せると思うかね？

ぴろすけ

確かに……。はいどうぞ！って言われても困りますねw

徳川慶喜

だから朝廷も「**新しい政治体制が出来るまで無理だよ！その間は慶喜ちゃんが仕切って！**」って事で私に政治を任せようとした。

ぴろすけ

じゃあ、幕府が無くなっても日本のトップは徳川のままじゃないですか！

徳川慶喜

そうだ！ 私もそれを理解した上で大政奉還を受け入れ

た。それに徳川は400万石という圧倒的な領地を持っているから、その力を背景に政治の実権を握ろうと考えたんだ。

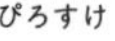

慶喜さんかなりやり手ですねw

だけど薩長や岩倉はそれを許さなかった。彼らは天皇を動かして**【王政復古の大号令】**を引き出したんだ。

なんですかこれは？

これは「**幕府・摂政・関白**」といったこれまでの国家体制を無くし、新しく「**総裁・議定・参与**」を作る。早い話リニューアルする事だ。

完全に一から組み立てるんですね。

そして朝敵になっている長州の名誉も回復して**【新政府】**という新しい政治機関を作った。私もこのメンバーに入りたかったが岩倉達はそれを拒否した。

じゃあ仲間外れにされたんですか？

そうだ。更に徳川の力と権威を完全に無くす為、彼らは「**官位返上**」「**領地没収**」を私に求めてきたんだ。

徹底的ですね！

だから私はそっちがその気ならって事で家臣達を連れて大阪に移動した。そして諸外国の有力者を集めて「**外交窓口は徳川が全て担当する**」と宣言したんだ。

これすると何か意味があるんですか？

こうすれば外国との貿易は徳川が独占出来るだろ？ しかも大阪は経済の中心都市だからここを抑えないと新政府は国を回せない。早い話「**俺に頼らないと貿易も国家運営も出来ないぜ？**」って奴らに圧をかけたんだ。

慶喜さん、マジで頭いい……。

こうなると私を仲間外れに出来なくなり、一旦は新政府に入れる事を約束した。だが薩長達は「絶対徳川ぶっ潰す！」って事で戦争のキッカケを作る為、浪人を使って江戸の街で暴れさせたり、家臣の「庄内藩」の屋敷に銃弾を撃ち込んだりと嫌がらせしまくった。

これにキレたら確実に戦争は待った無しですね！

薩長の思惑通り私の家臣達は怒りが爆発した。私はその怒りを止める事が出来ず、それで始まるのが**【鳥羽・伏見の戦い】**だよ。

1868年「鳥羽・伏見の戦い」勃発。

徳川慶喜

この旧幕府軍と新政府軍の戦いは各地で行われるんだけど、総称して**【戊辰（ぼしん）戦争】**とも呼ばれるぞ。

ぴろすけ

ついに戦が始まってしまったんですね……。

徳川慶喜

結果から言うと鳥羽・伏見の戦いは新政府軍の勝利に終わる。戦況を決定付けたのは奴らが**【錦御旗（にしきのみはた）】**を掲げた事だ。

ぴろすけ

錦の御旗？

徳川慶喜

天皇の旗の事だよ。これを掲げる事で、新政府軍は「天皇が認めた官軍」、旧幕府軍は「天皇に逆らう賊軍」という構図が出来上がった。因みにこの旗は岩倉が作った偽物だと言われてる。

ぴろすけ

天皇の偽の手紙を作ったり、天皇の偽の旗を作ったり……とんでもない男ですねｗ

徳川慶喜

この旗を見て賊軍になる事を恐れた家臣達は次々に敗走した。かくいう私もこの旗に焦り大坂を脱走したんだけど、仲間を置いて逃げた事で「徳川の時代は終わりだな……」と威厳も絶望的な事になってしまった。

慶喜の脱走については諸説あり。

私は江戸に帰った後、新政府軍に降伏する事を決意して、上野で謹慎する事になる。

もうこれ以上、血を流す訳にはいきませんもんね……。

だけど新政府は「降伏？ 知るかボケ！」って事で私を倒す為に江戸に進軍を開始したんだ。

ええ!? もう戦う気が無いのに!?

そうだ。このままでは私も江戸も無事では済まない……。だけどそれを止める為、立ち上がった男がいたのだ。それが「**勝海舟**」だった。

出た！ 龍馬さんの師匠！

この続きは海舟に聞けばいいよ。

分かりました！

やり合う旧幕府軍と新政府軍の裏で江戸を守った英雄

幕府が無くなり新たに「新政府」が生まれた。その新政府は鳥羽・伏見の戦いで旧幕府軍を破ったが、徳川を完全に潰す為に江戸に進軍を開始した！

だが、それを止める為に1人の英雄が立ち上がる！ その男の名は

「勝海舟」。彼は一体どんな活躍をするのだろうか？ 話を聞いてみた！

海舟さん、プロフィールをお願いします！

勝海舟。1823年江戸に生まれた。阿部正弘さんに引っ張られて出世したんだぜ。

海舟さんも正弘さんに見出された1人なんですね！

出世する前は武術に励んでて、金玉を犬に嚙まれて死にかけたしがない若者だったぜ。

なんかとんでもないエピソードぶち込んできたw
じゃあ早速聞きたいんですが、新政府軍が江戸に進軍を開始してそっからどうなったんですか？

オイラは徳川と江戸を守る為に西郷と和平交渉をする事を決意した。だからその交渉を取り次ぐ為に「山岡鉄舟（てっしゅう）」を使者として派遣した。

山岡鉄舟？

コイツは「鬼鉄」と恐れられた大剣豪でね！ 睨（にら）んだだけで家にいたネズミがバタバタ倒れたと言われる程のヤベー奴だ。

覇気の使い手やんけ！

この男なら薩軍も簡単に手出し出来ないだろ？ オイラは鉄さんを西郷のもとに行かせたんだけど、コイツが思わぬ働きをするのさ。

思わぬ働き？

鉄さんは西郷に「服従する慶喜様を攻めるな。自分の主君が同じ立場だとしたら、アンタは同じ事するのか？」と言ったんだ。すると西郷はその言葉に納得して、慶喜の旦那を悪いようにしないと約束したんだ。

おお！ 鉄舟さんナイス!!

このファインプレーのおかげでオイラは西郷との交渉をスムーズに運ぶことが出来てね、徳川の命を救い江戸を無血で引き渡す事に成功するんだよ。

1868年「江戸無血開城」成立。

これで万事解決ですね！

いや、新政府軍はまだ倒したい相手がいたのさ。それが「会津藩」と「庄内藩」だった。

え？ 徳川の降伏で戦は終わりじゃないんですか？

勝海舟

あぁ。庄内藩は薩摩藩邸に火を付けた事があって、会津は八月十八日の政変、禁門の変で長州をボコボコにしてる。奴らにとっては絶対にぶち殺したい相手なのさ。

ぴろすけ

この恨みは根深そうですね……。

勝海舟

だから新政府軍は奴らを倒す為に北上を開始した。だけど東北にいる他の藩達からしたら近くで戦争されたらたまらないだろ？ だから「**会津と庄内を許してやってくださいよぉ～**」って新政府にお願いしたんだ。

ぴろすけ

確かに飛び火されても困りますもんねw

勝海舟

だけど新政府軍はそれを拒否！ なんなら東北の藩達も新政府軍に狙われてるという噂も入り始めた。

ぴろすけ

東北の藩達もピンチじゃないですか！

勝海舟

だから東北の藩達は会津と庄内と手を組んで、新政府軍に対抗しようと考えた。これを【**奥羽越列藩同盟**（おううえつれっぱんどうめい）】というぞ。

ぴろすけ

やられるくらいならやってやる！って感じですね。

勝海舟

それで【会津戦争】が勃発するんだけど結果を言うとボコボコにされる。この戦いには女子・子供関係なく会津を守る為に戦った。

胸が締め付けられるような話ですね。

だけど一部の旧幕臣達はまだ抵抗をやめなかった。そして彼らは**蝦夷地**（北海道）に向かい、新政府軍と最後の戦いを始める事になるのさ！

ついに幕末のフィナーレって感じですね！

この続きは旧幕府軍のリーダー「**榎本武揚**」に話を聞いたらいいぜ。

了解しやした！

旧幕府軍最後の戦いと敗軍の英雄・榎本武揚

新政府軍の勢いは止まらず「会津戦争」でも勝利を挙げて、ドンドン旧幕府軍を追い詰めていく事になった。

だがまだ抵抗をやめない旧幕府軍達は蝦夷地に向かい、新政府軍と最後の決戦を迎える事になる。

その旧幕府軍のリーダー「**榎本武揚**」とはどんな人物なのか？

話を聞く事にした！

榎本さん、早速、自己紹介をお願いしやす！

榎本武揚。1836年江戸で生まれた。27歳の時にはオランダに留学したよ。

グローバルな方なんですね。

そしてこのオランダ留学の時に、私は重要なものを見つける。それが【**万国海律全書**(ばんこくかいりつぜんしょ)】だ。

なんですか？「万国海律全書」って？

これは戦争で守らなきゃいけない法律や世界基準のルールが記されてる本だ。日本は鎖国してたからこの「**国際法**」を全く知らなくてね。列強と渡り合うにはこの知恵が必要と考えて、私はこの本を肌身離さず持ち歩く事になる。

絶対に日本に持ち帰りたいものですね！

その通り。それから私は海の戦の重要性を痛感して、最強装備を詰め込んだ「**開陽丸**」をオランダで造船した。そしてこの軍艦に乗り込み日本に帰国したのさ。

国際法と最強の軍艦……これさえあれば列強と戦えますね！

だが私が帰国した時には幕府は完全に弱体化していた。帰国後すぐに大政奉還が行われ、幕府政治は終了。その後の鳥羽・伏見の戦いでも敗走する事になる。

ぴろすけ

帰国した時にはもう幕府の力は無かったんですね……。

榎本武揚

私は慶喜様にもう一度新政府軍と戦う事をお願いした！ だけど、結果は降伏を宣言して江戸を開城。私は仲間を救う為にも**蝦夷地**に向かう事を決めたんだ。

ぴろすけ

仲間を救う為にも蝦夷地？ それはどういう事ですか？

榎本武揚

実は江戸を開城した後、新政府軍は徳川の領地400万石を70万石に削ったんだ。このせいで多くの幕臣達は飯が食えなくなり、住む家も無くなったんだ。

ぴろすけ

これはキツイですね……。

榎本武揚

だから蝦夷地を開拓して仲間達の生活を守ろうと私は考えたんだ。

ぴろすけ

なるほど！ その為の北海道だったんですね。

榎本武揚

他にもある。蝦夷地には津軽海峡という場所があって、ここは蝦夷地の入り口のような場所だった。だからここの制海権を開陽丸で守れば新政府軍も容易に近づけないと考えたんだ。

ぴろすけ

なるほど！ 新政府軍を入れないようにする作戦です

ね！

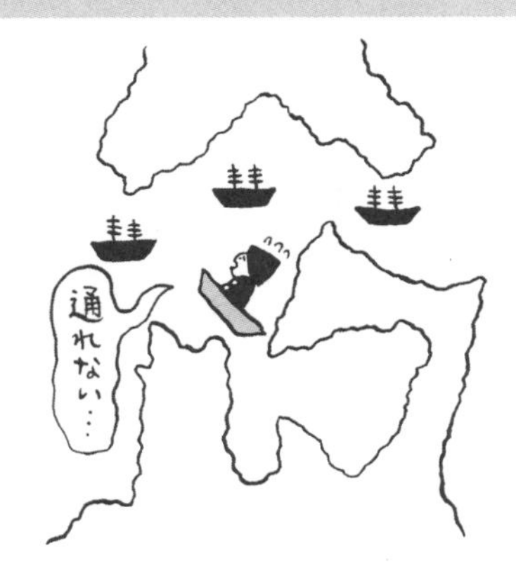

榎本武揚

加えて以前から蝦夷地は、ロシアから狙われていた。この状況は前から危惧されていたから、旧幕府軍が新政府の代わりに蝦夷地を守るから独立を許して貰おうと私は考えたんだ。

榎本武揚

まぁ早い話「俺達は俺達でやるからほっといてくれ」って感じだな。

ぴろすけ

とにかく絡んでくるなとw

榎本武揚

そういった事で私達は蝦夷地に乗り込み、蝦夷地にいた新政府軍を追い出して「**箱館政権（蝦夷共和国）**」という独立国家を創った。

ぴろすけ

凄い！ 旧幕府軍のユートピアですね！

因みに箱館政権のリーダーを決める時は入札制で行った。これが「**日本初の選挙**」で、そのリーダーに私が選ばれた。

ここで初めて選挙をやったんですか!? 留学帰りの男はやる事が違う！

だが、この国家も形だけでしかなかった。私達の独立は新政府に却下され、新政府軍は「甲鉄艦」という強力な軍艦をアメリカから購入したんだ。

でもこっちには最強の開陽丸があるから安心ですよね？

残念な事に開陽丸は蝦夷地攻略の時に嵐によって壊れてしまったんだ……。

え!? じゃあ津軽海峡の制海権も守れないじゃないですか！

だから我々は「**新政府から甲鉄艦を奪うしかない！**」って事で宮古湾に配備されてる甲鉄艦を奪おうと試みた……。だけどこの作戦は失敗して、新政府軍は蝦夷地になだれ込んできた。

ヤバイ！ ヤバイ！ ヤバイ！

我々は新政府軍の圧倒的な火力でボコボコにされた。すると新政府軍の使者がやってきて、私に降伏するように言ってきた。だけど私は仲間と共に玉砕する覚悟だったからこれを拒否したんだ。

榎本さん……もう覚悟を決めていたんですね……。

そして私は「新政府の役に立ててほしい」と言って使者に「**万国海律全書**」を渡した。これからの日本を創るのは新政府だからな。未来を彼らに託したんだ。

なんてカッコいい男なんだ……。

するとその行動が新政府軍の参謀「黒田清隆(きよたか)」の耳に入ってね。「**榎本のような男を無駄死にさせるな**」という事で食料や酒を大量に送ってくれたんだ。

なんや、この熱い話は。

私も黒田の行動に感動してね……。「**黒田なら仲間達に酷い事はしないだろう**」と思い、降伏を決意した。そして私は別室に籠り、大将として責任を取る為、刀を腹に当てたのさ。

切腹しようとしたんですか!?

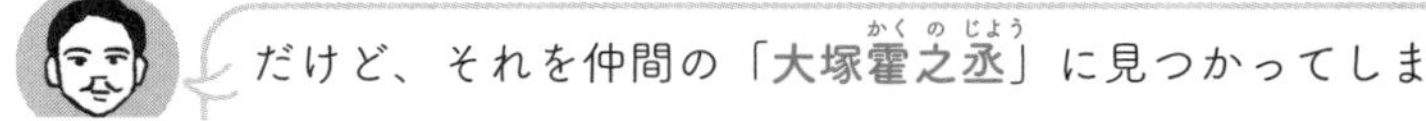

榎本武揚

だけど、それを仲間の「大塚霍之丞(かくのじょう)」に見つかってしまう。彼は私の切腹を強引に止めると、その騒ぎを聞きつけた仲間達も私の切腹を止めに入ったんだ。

大塚は自分の指が３本落ちても、榎本の切腹を止めた。熱過ぎる！

こんなに仲間達に慕われてる人が世の中にいるのか？

彼らの行動に胸を打たれた私は、切腹をやめて刀を置く。そして私は仲間達を集めてこう発言した。

“単身軍門に下り、快よく天裁に就き衆命を乞わん”

（降伏する。天皇に裁かれたとしても、その時は誇り高く死ぬ）

私がここで切腹したら、仲間達を「賊軍」と認めた事になる。なら生きてその誤解を解き、それが叶わない時は潔く切腹しよう。そういう想いでこの発言をしたんだよ。

死んでいった仲間の為にギリギリまで生きてそれを証明する。まさに本物の大将ですね！

そしたら仲間達は私の想いを受け取め一言こう返した。

“共に死せん”

こうして旧幕府軍と新政府軍の戦いは幕を閉じる事になるのさ。

涙で前が見えねぇ……。

降伏した後、私は殺されず仲間達も悪い扱いはされなかった。この背景には黒田清隆が助命嘆願に尽力していて、政府内でも私を救おうと動いてくれた人が沢山いたよ。

本当に最後の最後まで熱いですね幕末って。

さぁ、ここからが本格的な明治時代だ！ 頑張ってくれよ!!

ありがとうございます！

元号は明治。近代化の始まり

江戸から東京へ。明治政府による新しい時代の始まり

新時代を築く為に「明治政府（新政府）」が組織され、日本は髷(まげ)を落として文明開化の音を鳴らす事になる。だが、急激な近代化の波に反発する勢力が現れて、花開いた文明開化は次第に血で赤く染まる事になっていく……。

明治の様子を「**明治天皇**」に聞いてみる事にした。

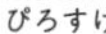

ぴろすけ：天子様！ 早速プロフィールお願いします。

明治天皇：明治天皇。1852年生まれで、父の孝明天皇が崩御してから16歳で私が跡を継いだ。

ぴろすけ：16歳で即位なんて大変そうですね。

明治天皇：因みに**【明治】**という元号はクジ引きで決めたんだよ。

ぴろすけ：え!? そんな事出来るんですか？

くじ引きで元号を選ぶなんて後にも先にもこの1例しかないよ。あと今までの日本は元号をコロコロ変えていたんだけど、天皇1代につき元号1つという決まりも明治から始まったんだよ。

色々始まった時代なんですね！　では早速聞きたいんですけど、明治になってからどんな事をしたんですか？

まず時代が変わった事を示す為に**【五箇条の御誓文（ごせいもん）】**というのを発表した。

これはどういったものですか？

これは明治政府の政治方針を示したもので、細かく言うとこう書いてる。

五箇条の御誓文

1. 広く会議を開いて、全ての政治は皆の意見で決めるようにしようぜ！
2. 上も下も関係ない！　1つの国を作っていこうぜ！
3. 身分とか関係ない！　誰もが志を全うして、その意思を達成出来るようにしようぜ！
4. 今まであった悪い習慣を取っ払ってさ、国際社会のグローバルな行動をしようぜ！
5. 新しい知恵を世界から学んでさ、天皇が治める国を作っていこうぜ！

幕府の時と違ってみんなで国を作ろう！って色合いが

強いですね！

明治天皇

あと、政治の中心も京から江戸に移した。江戸も名前を変えて【**東京**】になったんだ。

ぴろすけ

ここから東京が生まれたんですね。

明治天皇

だけど、まだ江戸時代の支配体制が残ってる状態だったから、政府は【**版籍奉還**（はんせきほうかん）】というのを行う事になる。

ぴろすけ

版籍奉還？

明治天皇

今までの幕府政治は各土地を支配する大名がいて、その土地の事を「**藩**」と呼んでいたよね？

ぴろすけ

鹿児島を支配する薩摩藩、高知を支配する土佐藩といったものですよね？

明治天皇

そう！ その大名達が各々藩を支配していた。要するにこの時は「日本」という1つの国じゃなくて、沢山の国が日本に存在する感じだったんだ。

ぴろすけ

各土地で違った世界があった訳ですね。

なので、当時は「土佐人」「薩摩人」などと呼んで、別の国の人っていう認識が強かった。

明治天皇

だから政府は「**領地と領民を治める権利を天皇に返上しなさい**」と通告した。これが**版籍奉還**なんだ。

ぴろすけ

なるほど！ 土地や人民は大名のものじゃなく天皇のものにした訳ですね。

明治天皇

これで建前上は天皇のもとに、日本という１つの国に統一された。

ぴろすけ

建前上？

明治天皇

返してもらっても天皇が全部の土地は管理出来ないだろ？ だから土地を治めてる大名には【**知藩事**（ちはんじ）】という役職をあげて、引き続き支配を任せた。

ぴろすけ

じゃあ大名が知藩事って名前に変わっただけで、あまり変わらないじゃないですか？

明治天皇

早い話、版籍奉還は近代化に向けての軽いジャブに過ぎないよｗ 加えて武士や商人、農民の呼び名も変わった。

身分も格差もシンプルになりましたね。

天皇・皇族以外は皆、平等になった。だから百姓が元大名の娘と結婚出来たり、努力次第で誰でも出世出来るようになったぞ。

最高じゃないですか！ 日本は1つの国として成長してますね！

でも、まだ日本を1つにするには問題がある。**年貢を取り立てる権利や、軍隊を持つ権利は土地を支配する知藩事にあった**んだ。

それは問題なんですか？

そりゃそうだよ。だって各土地で税金を取っていたり、専属の軍隊がいる状態だと戦争をやろうと思ったら出来ちゃうだろ？

確かに！ また雄藩みたいな存在になったら危険ですね！

だから「**土地で取ってる税金も軍事力も全て明治政府のもの**」にしたかった。それで次にやったのが**【廃藩置県（はいはんちけん）】**だよ。

これもジャブ的な感じですか？

いや、これは重めのストレートだよｗ　まず知藩事というのを無くして彼らを東京に住まわせる。そして「**知藩事がいなくなった土地に明治政府の役人を派遣して、土地を管理する**」。そういうシステムにしたんだよ。

要するに各土地のリーダーは政府の役人達って事ですか？

まさにそれ！　それで藩というのを廃止して、「府・県」と分ける事にしたんだ。これが今の都道府県の母体だよ。

こっから生まれていったんですね！

これで税を取る権利も軍事力も政府が管理して、藩という国を無くした。バラバラだった日本が１つにまとまっ

たんだよ。

でもこれ明治政府が全部独り占めしてる感じに見えますよね？ 反発が起きたりしなかったんですか？

これが意外な事に全く反発が無かったんだよ。

えぇ!? なんでですか？

早い話ね……、皆、お金が無かったw

シンプルな理由ですねw

幕末から財政難になってる藩が多くてね、むしろ死にかけの土地を政府が管理してくれるから助かるという意見も多かった。しかも元藩主は生活の保障もされたからラッキーって思う人もいたよw

じゃあ特に問題無くスムーズに進んだんですね！

いや、藩も藩主も無くなったから家臣達の多くはリストラになった。士族達は仕事を失ったから政府に不満を持つ人が増えたよ。

いきなり会社潰れた感じですもんね！これは辛い……。

だけどこれはまだ序章に過ぎない！ 明治という時代は**【富国強兵】**の為に多くのものを壊していく事になる。この続きは「**木戸孝允**」に聞いたらいいよ。

分かりました！ 早速、聞いてみます！

目指せ富国強兵！ 欧米列強に負けない強い国作り

明治の世が本格的に始まり、身分の差別や藩も廃止されて日本は1つの国になろうとしていた。そして、明治政府が掲げたのは「**富国強兵**」。これは一体どういうものなのか？ **木戸孝允**に話を聞く事にした。

孝允さん、プロフィールをお願いします。

木戸孝允。1833年、長州出身。前の名前は桂小五郎で薩長同盟を西郷と結んだぞ。

桂小五郎さんなんですね！

藩主から木戸の名字を貰ってね、桂から改めたんだ。幕末時代は「逃げの小五郎」と呼ばれて、新選組から逃げるのも上手だったよ。

なんかダサいあだ名ですねｗ

でも僕は弱い訳じゃないよｗ ただ人を斬るのは違うなと思ってただけさ。

木戸は神道無念流の塾頭（指導者）で免許皆伝。近藤勇も過去に竹刀で試合した事があるのか「手も足も出なかったのが桂小五郎だ」と発言したという逸話もある。

ぴろすけ

では早速ですが**【富国強兵】**について教えてください。

木戸孝允

富国強兵は明治政府が掲げたスローガンでね。具体的には「**学制・兵制・税制**」の３つを推し進めたんだ。

ぴろすけ

教育と軍事力とお金って事ですか？

木戸孝允

そう！　じゃあまずは**税制**だけど、日本は長い間「米」を収穫してそれを納める「**年貢**」が税金だった。だけどそれをやめて「**現金**」で貰うようにしたんだ。

ぴろすけ

今の税金になったんですね！　でもこうするメリットがあるんですか？

木戸孝允

国家の財政が安定するんだよ。今までの年貢システムだと、米がとれない年に減免したりもあるから税収が安定してなかった。

ぴろすけ

米だと雨や台風などの天候でかなり影響出ますもんね。

木戸孝允

だから所有してる土地の価格に応じて現金で貰う【**地租**（ちそ）

改正（かいせい）】というシステムにする事で政府の財政を安定させる事が出来たんだ。

なるほど！ 毎年決められた額が入るなら安心だし安定しますね！

他にも近代的な技術を導入して、製糸場や交通機関などを色々作った。こういったのを【**殖産興業**（しょくさんこうぎょう）】と呼んでるよ。

おお！ 文明の大改革ですね！

次に兵制だけど【**徴兵令**（ちょうへいれい）】を出したのが一番の特徴だ。

徴兵令とはなんですか？

これは「**20歳になったら士族・平民問わず、3年間兵隊として訓練する**」。要するに、日本は住んでる皆の力で守ろうという制度だよ。

だけど「行きたくねーよ！」と不満が湧きそうですね……。俺は絶対嫌だもん！

免除規定もあったから参加しない人も一定数いたよ。でもこれが当たり前になると「**参加出来ない奴は日本国民じゃない！**」って風潮になっていったよ。

ぴろすけ

大多数が正義は日本人っぽいですよねw

木戸孝允

そして最後の「**学制**」。これは**全国に学校を沢山作り、学校に通わない人がいないようにする**といったものだ。

ぴろすけ

今じゃ学校に行くのは当たり前だけど、ここから始まったんだ。

木戸孝允

でも人手が少ない家は「学校なんて通わせる余裕はうちに無いわ！」と不満が募ったりもしたよ。

ぴろすけ

何かを生み出すと、不満が溢れるのは世の常ですな。

木戸孝允

とにかく我々は駆け足で近代化を推し進めた。因みに「廃藩置県」「徴兵令」「地租改正」等、戊辰戦争が終わって4年で行われてるものなんだよ。

ぴろすけ

わずか4年で!? そこまで焦る理由とかあったんですか？

木戸孝允

それは列強と比べて余りにも日本が遅れてたからさ。外国に視察に行った**【岩倉使節団】**で嫌という程思い知らされる事になる……。詳しくは「**大久保利通**(としみち)」に話を聞いたらいいよ。

ぴろすけ

分かりました！ 早速、行ってきます！

「岩倉使節団」で世界を見た大久保利通の驚きと絶望

富国強兵で改革を行った明治政府。着々と近代化の道を進んではいたが外国の視察に行った事で、日本が余りにも遅れをとっている事を痛感する事になる……！「**岩倉使節団**」の１人として参加した「**大久保利通**」に話を聞いてみた。

ぴろすけ：大久保さん、自己紹介お願いします！

大久保利通：大久保利通。1830年に薩摩藩に生まれた。家の近所に西郷隆盛が住んでてね、昔から長い付き合いだよ。

ぴろすけ：西郷さんと幼馴染なんですね！

大久保利通：西郷とは親友のようなものだ。西郷が処罰を喰らって活動出来なくなった時は「一緒に死ぬか」と心中しようとした事もあるぞ。

ぴろすけ：それだけ深い関係なんですね。じゃあ聞きたいんですけど、木戸さんが言ってた**【岩倉使節団】**とはどういうものなんですか？

大久保利通：これはリーダーの「岩倉具視」を筆頭に、私や多くの有力者がアメリカやヨーロッパ諸国を回った使節団の事だ。

ただの旅行じゃないですよね？

当然だ。一番の目的は「**列強と結んだ不平等条約を改正する事**」。だから、国内の政治は西郷達に任せ、外交問題は私達がやると役割分担をしたのさ。

なるほど！ 頼れる西郷に国内の問題は任せたんですね。

それで海外に向かう事になったんだけど、日本とのレベルの差に本当に驚いたよ。

やっぱり差が開いてたんですか？

開いてたってもんじゃない！ 沢山の工場は勿論、蛇口を捻れば水が出るし、箱に入れば上下に移動する乗り物もあった。

水道もエレベーターもあったんだw 当時の日本人が見たら近未来過ぎますよね。

そして日本が世界に劣ってるのを条約改正の話し合いで痛感する事になった。アメリカは私達に「**全権委任状**」を見せてくれと言ってきたんだ。

全権委任状？

これは「**国の代表者として条約に調印する権利があります**」という許可書の事だ。条約改正するならこれを見せるのが国際ルールだった。

え？ じゃあ、まさか……。

最近まで日本は鎖国してたんだよ？「そんなルール知らんがな！」って話だよ！

持ってきてなかったんですねｗ

だから私は急ぎ日本に帰国して、４カ月かけて委任状を取りに行ったよ。

スゲー時間のロスですやん泣。それで不平等条約の改正は出来たんですか？

委任状のルールも知らない日本なんて、まともに相手してくれないよ。だから今回の目的は「**外国を知る事**」に完全シフトした。

条約改正の前に他国を知って力を付けようと考えたんですね！

そう！ だから私は「優先するべきは日本の近代化」と確信して、帰国する事になったんだけど、国内では西郷達が**【征韓論】**を唱えていたんだよ。

征韓論？ なんですかこれは？

これは朝鮮（韓国）を武力を背景に開国させるという考えだ。

なんか恐ろしい計画ですね！ でもなんで朝鮮を武力で開国させようと思ったんですか？

ロシアは冬でも凍らない港を求めていて、南下して土地を手に入れようとする**【南下政策】**をやっていた。このままでは日本も植民地にされかねないから、日本は朝鮮や清国と関係を結んで、守りを固めたいと思ってたんだ。

だけど当時の朝鮮は「**鎖国攘夷政策**」をとっていて、日本と関係を結ぶのも困難だった。なんなら日本に対しても否定的だった。だから西郷達は武力を背景にしてでも朝鮮と関係を築こうと考えたのさ。

なんか幕末にペリーさんにやられた事をやろうとしてますねｗ

でもこのやり方は戦争になりかねない。だから私は国内の近代化が先決だと主張して、政府内は西郷派と大久保派に真っ二つに割れてしまったんだ。

またすめんどくさい事になり始めましたね……汗。

だけど最終的には征韓論は白紙になり、西郷達は政府を辞任する事になった。そして私の主張する近代化が優先されたんだ。

親友の西郷さんと関係が切れてしまうんですね泣。

どんなに仲がよくても、政治に私情を持ち込む訳にはいかない。そういった事で私は近代化に向けて【内務省】を設立した。

ぴろすけ

これはどういったものですか？

大久保利通

内務省は工場の新設や交通機関、都市計画等、とにかく内政のほとんどを担う組織だ。

ぴろすけ

凄い！ 内政のデパートみたいな場所ですね。

大久保利通

しかも、ここで行われる内政のほとんどが私が代表だった。だから私は「**近代国家の父**」と評され、富国強兵のリーダーになっていくんだよ。

ぴろすけ

一気に突っ走った訳ですね！

大久保利通

だけど急激な近代化は同時に士族の怒りを生み出す事にもなってしまう。士族の給料を停止したり、刀を差す事も禁止したからね。

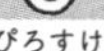

ぴろすけ

これでは武士のメンツ丸潰れですやん……。

大久保利通

だから次第に政府に反抗する士族が増え始め、士族はある人物を旗頭にして政府と戦争をする事になるんだよ。

ぴろすけ

ある人物？ 誰ですか？

大久保利通

親友の西郷隆盛だ。

ぴろすけ

うわぁー！ マジかよ……。

大久保利通

この続きは**西郷隆盛**に聞いてみてくれ。

ぴろすけ

分かりました！ 早速、聞いてみます！

士族が政府にブチギレ！ 最後の内戦「西南戦争」勃発

幕末を共に駆け抜けた西郷隆盛と大久保利通。親友同士の２人だったが、政治で意見が分かれてしまい、西郷は政府を去る事になる。

だが急速な近代化に不満を持つようになった士族達は、西郷を旗頭にして明治政府とぶつかる事になる！

「**西郷隆盛**」に詳しく話を聞く事した！

ぴろすけ

では西郷さん、自己紹介をどうぞ。

西郷隆盛

西郷隆盛。1827年、薩摩で生まれた。因みに教科書で見る肖像画はおいでなければ、名前も隆盛じゃなか。

ぴろすけ

え!? そんなバカな！

西郷隆盛

おいの肖像画は弟と従兄弟(いとこ)の顔をモデルに描いたものでごわす。本当の名も「隆永(たかなが)」ちゅうど。

ぴろすけ

肖像画はともかく、なんで名前が違って伝わったんですか？

西郷隆盛

明治政府の書類を作る時、おいの名前を役人が間違えて隆盛と書いてしもうた。じゃで、隆盛ちゅう名で政府に登録されてしもうた。

そうだったんだw じゃあ早速聞きたいんですけど、なんで西郷さんは朝鮮の開国を強引に進めようとしたんですか？

これには複雑な理由がありもんす。まず朝鮮と関係を築く前に、日本は明治政府が確立した事を朝鮮に伝えもした。

これからうちはこんな感じでやっていきますよ！って伝えたんですね。

じゃどん、その手紙の書き方を政府はミスってしまったでごわす。

どうミスってしまったんですか？

当時、朝鮮は「**清朝の家来のような国**」でごわした。そいで清朝では皇帝を表す言葉として**【皇】【勅】**という漢字が用いられていて、おい達も明治天皇を紹介する時、この漢字を使って朝鮮に手紙を渡しもした。

すると朝鮮は「**【皇・勅】**を日本が使うという事は**日本の天皇と清朝皇帝は同じ立場**という事か!? だとしたら朝鮮は日本より下の立場という事になるじゃないか！ 何様

のつもりだ!?」と激怒しもした。

なるほどw 細かいですね朝鮮w

やっちまったと思った政府はこの状況を変える為に「じゃあボスである清朝と対等な条約を結べば朝鮮も理解してくれるだろう」と考え、清と条約を結んだでごわす。

まずボスと仲良くなって関係を修復しようと考えたんですね！

じゃどんこの条約に朝鮮は「オイ！ 清朝と対等って事は俺らより上になるやんけ！ ふざけんな！日本とは仲良くしない！」とブチギレて、関係は最悪になりもした。

全部悪い方に転がりますね泣。

じゃどん、その悪化はまだ止まらなかったでごわす。清朝を狙ってる列強も日本が清朝と条約を結んだ事で「なんか日本調子乗り始めてるなぁ～？」っと警戒されるようになったでごわす。

最悪！ もし列強が本気で日本を狙ったら終わりですよ！

そうじゃ。だから急いで対策する為に朝鮮を開国させて

関係を築こうと、おい達は征韓論を唱えたでごわす。

なるほど！　だから武力を背景に強引に朝鮮を開国させようとしたんですね！

その「武力を背景に」は少し語弊がありもんす。おい達は武力で朝鮮を開国させようとは思ってなか。

え!? そうなんですか？

武力で朝鮮を開国させたいと思うちょった人はおったが、おいはその考えを否定しもうした。おいは正装で礼を尽くして、朝鮮と交渉した方がいいと判断して、皆もこれに同意したでごわす。

あれ？　じゃあイメージとだいぶ違いますねw

だから「**征韓論**」でなく「**遣韓論**」というのが正しいでごわす。

でも大久保さんの国内近代化が優先されて、西郷さんは政府を去るんですよね？

そうでごわす。おいは故郷に帰った後、政府に不満を持つ士族を抑える為、**【私学校】**というのを作りもした。ここは士族達を列強と戦える兵にする育成機関でごわす。

職を失った士族達に居場所を与えたんですね！

因みにおいが去って少し経った後、日本と朝鮮は**【日朝修好条規】**を結んで朝鮮の開国を成功させた。大久保どんも朝鮮の開国を完全否定してた訳ではなか。

まだ時期ではなかったって訳ですね。

じゃどん、政府に不満を持つ士族達はドンドン増えていって、政府とも争うようになっていったでごわす。そうなるとおいのもとにも沢山の士族が集まりもした。

もう西郷さんしか頼れる人がいなかったんですね。

そうなると政府は「**西郷は士族集めて政府と戦争するつもりじゃねーか？**」っと勘違いするようになったでごわす。

完全に戦争のフラグ立ってますやん！

そういうこつで警戒した政府は、おい達の軍事力を無くす為、鹿児島にある弾薬庫から武器を密かに回収しようと動きもした。

じゃどん、それを知った士族は「そっちがやる気ならやってやるよ！」と激怒して、明治政府の管理する弾薬

庫を襲って武器を強奪しもした。

フラグ回収！ もう戦争待ったなしですねw

そうじゃ。おいは士族の怒りを止める事が出来ず、彼らに命を預けて政府とぶつかる事になりもした。

1877年「西南戦争」勃発。

不器用な武士達の最後の抵抗って感じですね泣。

士族達は頑張って戦ったが、敗走を繰り返して最終的に鹿児島の「**城山**（しろやま）」って所まで逃げもした。じゃどそこも政府軍に囲まれて、おいは銃弾を受けて動けなくなったでごわす。そしておいは「**ここらでよか**」と伝え、仲間に首を斬らせたでごわす。

西郷さん……。

そしてこん戦いは政府軍の勝利で幕を閉じる事になりもした。余談じゃが大久保どんはおいがいつでも政府に戻れるようにと陸軍大将の席を残してくれてたそうじゃ。

仲違い（なかたが）いしてもやっぱり親友だったんですね！ なんていい話なんだ！

こん戦いで多くの士族達は「**武力では政府に勝てない**」

と悟って、反乱を起こす事は無くなったでごわす。じゃで西南戦争は「**日本最後の内戦**」と呼ばれてるでごわす。

でも、士族はこれから我慢して生きてかなきゃいけないと思うと悲しいですね……。

いや、ここから政府に「**言論**」ちゅうもんを使うて戦う事になっていきもうす。そん1つが**【自由民権運動】**で、そのリーダーが「**板垣退助**（いたがきたいすけ）」でごわす。詳しくは彼に話を聞きやんせ。

ありがとうございます！　早速、聞いてきます！

言葉は武器だ！　国会を開け！ 自由民権運動の高まり

急速な近代化により不満を持つ士族達の怒りがついに爆発！　日本最後の内戦と呼ばれる「**西南戦争**」が勃発する事になる！　だが、この戦いは政府軍の勝利に終わり、世間は明治政府に武力では勝てないと悟り始めた……。しかし！　ここから「**言論**」を使い政府に対抗するようになっていくのだった！　その中心人物「板垣退助」に話を聞く事にした。

退助さん、プロフィールをお願いします。

板垣退助。1837年、土佐藩の上士として生まれた。

上士という事は上級武士ですよね？　土佐は身分の扱

いが厳しかったと龍馬さんに聞いたのですが、退助さんも下級武士をよく思ってなかったんですか？

板垣退助

いや、自分は差別的な事はしてなかったよ。なんか漫画や小説で悪者になってるのが悲しいね。

板垣退助は土佐の下級武士にも寛大に接していたと言われる。漫画や小説で板垣退助が龍馬をいじめている描写が出てくるが、これは創作。龍馬とは面識も無かったそうだ。

脚色されると誤解生まれますね泣。じゃあ早速ですが板垣退助さんは**【自由民権運動】**を行ったと西郷さんが言ってたんですが、これは一体なんなんですか？

ぴろすけ

板垣退助

分かりやすく言うと「**国民の自由と権利を要求した政治運動**」の事だよ。当時の日本の政治は、全て政府の役人が考えて、国民の意見や考えは一切反映されてなかった。

極端な話「お前らこれ絶対守れよ！」って一方的な感じだったんですね。

ぴろすけ

板垣退助

だから私は「**国民が選んだ代表（議員）を政治に関わらせて、その話し合いの場所（議会）を作るべき**」と政府に訴えた。そして国民に「**国会を作ろう！ 国民には政治に関わる自由と権利がある！**」と演説したんだ。

なるほど！ そういった政治運動を「自由民権運動」っ

ぴろすけ

て言うんですね。

そういう事！　こういった運動をしているうちに、理想の政治形態というのも生まれてくるようになった。

それが「伊藤博文」が推し進める**【天皇を中心に政治をする】**、「大隈重信（おおくましげのぶ）」が推し進める**【国会での話し合いを中心に政治をする】**、そして私が目指す**【民衆の意見を中心に政治をする】**というものだ。

色々あるんですね。

だから伊藤博文と大隈重信は思想の違いでよく対立してた。そして国会作りの運動が高まる中で**【開拓使官有物払い下げ事件】**というのが起きるんだ。

なんですかこの事件は？

これは開拓使をやっていた政府役人が、国民の税金で作った工場や船などを友人に安く売ろうとした事件だ。

開拓使は北海道の開拓を進める役所。

税金で作ったものを安く売る？　……え？　私物じゃないですよね？

そうだよ！　だから国民も「**政府の好きにさせるな！　今**

すぐ国会を作れ！」と動きが活発になったんだ。

もう国会待ったなしですね！

だけど伊藤博文は「**大隈邪魔だな～。あ、この国民の暴走は奴が裏で操ってると噂を流したら、潰せるんじゃね？**」って考えて、この事件を利用して大隈重信を失脚させる事に成功した。

転んでもただじゃ起きない男！ 伊藤博文！

すると気がつけば政府内では薩摩・長州の役人だけが力をつけるようになって**【薩長藩閥政権】**と呼ばれ、薩長ばかりが優遇されるようになってくるんだ。

うわ……。このままじゃ薩摩、長州がやりたい政治をするようになるじゃないですか！

そうだ！ このままだと彼らの独裁政治になるだろ？ だから私は国会を作れと叫び続け、ついに政府は**【10年後に国会を作る】**と約束したんだ。

おお！ やりましたね！

だから私は「**自由党**」、大隈重信は「**立憲改進党**」を結成して、理想の政治を実現させるチームを作ったんだ。

なるほど！　この推しのチームに国民は投票するって訳ですね！

こういったチームが生まれるとそれを良く思わない人間も現れる。事実、私は反対派の人間に体を刺された事もあるしね。

えぇ!? 大丈夫だったんですか？

なんとか一命を取り留めたよ。そして私は刺してきた相手にこう発言したんだ。

“板垣死すとも自由は死せず”

名言いただきました！

この名セリフは言ってなかったという説もあるよ。

そして国会が生まれ、民衆の意見も取り入れられるようになり**【大日本帝国憲法】**という憲法が生まれた。詳しくは憲法を作った初代内閣総理大臣「**伊藤博文**(ひろぶみ)」に話を聞いたらいい！

分かりました！

ついに完成！「大日本帝国憲法」

「板垣退助」が人々に自由と権利があると唱えた事で、世間では「**自由民権運動**」が盛り上がった。そのおかげで政府は国会を作る事を約束して、日本にも憲法というのが生まれる事になる！ ここからは初の「**内閣総理大臣**」にして「**大日本帝国憲法**」を定めた伊藤博文に話を聞いてみる。

博文さん、自己紹介お願いします！

伊藤博文。1841年生まれ、長州藩出身。吉田松陰先生の弟子で、倒幕の為に幕末時代は動き回ったよ。

またしても吉田松陰さんの教え子ですね！ マジでスター選手が多いな！

因みに私は大正天皇の為に箱型の鞄（かばん）を特注で作らせた。これが今の「**ランドセル**」の始まりだ。

えぇ!? ランドセル作った人は博文さんなんですか!?

作ったというより広めた感じだね。軍人用の鞄で「ランセル」というのがあって、これがランドセルの母体だ。

それは凄いですね！ じゃあ早速聞きたいんですが、自由民権運動が流行ってたじゃないですか？ 伊藤博

文さんはどう思ってたんですか？

伊藤博文

正直、困ってたね。自由民権運動の勢いに押されて政府は「10年後に国会を作る」事を約束したけど、これは危険でもあった。

ぴろすけ

危険ですか？ 退助さんが唱える民衆の意見を聞いて政治するなんて素敵じゃないですか！

伊藤博文

勿論、いい事だと思う。しかし政治の世界はリスクがあってもやらなきゃいけない事や、国内では見えにくい外交問題も絡んでくる。

伊藤博文

だからその辺の事を理解せず民衆の意見ばかり取り入れると、国会はただ理想論を主張するだけの場になってしまうんだ。

ぴろすけ

あぁ〜確かに……。これ嫌だからやめろ！って言っても事情があるからやってる政策もありますもんね汗。

伊藤博文

そう！ しかも国民から支持された代表が選ばれる訳だから、その傾向は強くなる。国民に選ばれた代表と政府の人間では政治の理解度に差があったんだ。

ぴろすけ

批判はあれど、政府の人間は幕末の動乱を渡り歩いた強者(つわもの)の集まりですもんねw

加えて民衆の政治は先を見ずに、一時の感情で暴走する傾向が強い。だから国のトップを中心に置いて、政治を行うのが一番と私は考えたんだ。

退助さんも言ってましたね。伊藤は【天皇を中心に政治を行う】事を目指したって。

でも国民の意見は全く取り入れないのも違う。だから国会を作る事になるんだけど、ただ集まって意見を言うだけじゃまとまらないだろ？ そこで私は【**内閣制度**】を制定した。

- 天皇（国のトップ）
- 枢密院（すうみつ）（天皇から相談を受けて重要な問題を審議する）
- 内閣（天皇の補佐をしながら行政を担当する）
- 貴族院（華族を中心に構成された議員〔今の参議院だよ〕）
- 衆議院（国民の選挙で選ばれた議員で構成）

そのほか「陸海軍」「裁判所」「臣民（国民）」も定められた。

ポジションと役割を作ったんですね！ 特に内閣は天皇を補佐しながら仕事するから責任重大ですね。

だからこそ内閣のリーダーも必要だった。それが私がやっていた【**内閣総理大臣**】だよ。

内閣総理大臣ってこうして生まれたんだ！

でもまだ国会の仕組みを作っただけだ。政治家が暴走しないようルールの上で政治をしないといけない！ その為に作るのが**【憲法】**だ。

よい子の政治家は憲法を守って正しく政治をしましょう！って事ですねw

そう！ そして私は外国の憲法を参考にして日本の憲法を作成した。それが**【大日本帝国憲法】**だ。

1889年「大日本帝国憲法」発布。

日本も近代国家って感じですね！

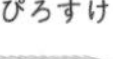

だがここから日本は、他国とも戦争する激動の時代に突入する。そしてアジア最強の清国と**【日清戦争】**を起こす事になるんだよ。

危ない時代に突入しそうだ……。

ここからは「不平等条約」の改正に尽力した「**陸奥宗光**(むつむねみつ)」に話を聞くといいよ。

分かりました！

明治②

長年の夢・近代国家の仲間入り

領事裁判権が撤廃！ 条約改正に尽力した龍馬の後輩

ついに国会が作られ、日本初の憲法「**大日本帝国憲法**」も制定された！ 近代国家として歩みを進めた日本だったが、幕末に結んだ不平等条約はいまだ改正されていなかった。その改正に尽力した人物が「**陸奥宗光**」。彼の活躍と「**日清戦争**」について話を聞いてみよう！

では宗光さん、プロフィールをお願いします！

陸奥宗光。1844年、紀州藩（和歌山県）出身。坂本龍馬さんの後輩で、社中に所属してたよ。

龍馬さんの後輩なんですね！

そう！ 龍馬さんからは「**刀を差さずに生きていけるのは俺と陸奥だけだ**」と言われてたもんさ。

古いものに固執しない、臨機応変なタイプだったんですね！ じゃあ早速ですが、宗光さんは不平等条約の

改正に尽力したと聞きましたが詳しく教えてもらってもいいですか？

陸奥宗光

じゃあ軽くおさらいだけど、幕末に日本は色んな国と不平等な条約を結んでしまった。それが「**自由に関税をかけられない**」「**日本の裁判で外国人を裁けない**」事だった。

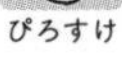
ぴろすけ

関税自主権が無いのと領事裁判権ですよね？

陸奥宗光

そう！ 明治になってからこの不平等条約がとにかく足枷（あしかせ）になっていた。そして改正の意識が高まった事件が【**ノルマントン号事件**】だ。

ぴろすけ

ノルマントン号？

陸奥宗光

これは1886年にイギリスの貨物船が沈没した事件で、そこに乗っていたイギリス人乗組員は全員助かったのに、日本人乗客25人は助けられず、全員水死した。なのに不平等条約のせいで船長は無罪になったんだ。

ぴろすけ

えぇー!? それは納得いかないですね！

陸奥宗光

だから「領事裁判権」だけでもなんとかしたいと日本は思い始めた。それで私は「大国の弱みを突けば上手く交渉出来る」と思い始めたんだ。

マウントを取って断れない感じにするんですね。

そんな時、イギリスがロシアと対立し始めて日本に協力を求めてきた。私はここだと確信して「協力してやるが領事裁判権を撤廃しろよな！」と圧をかけたんだ。

中々切れ味のあるカウンターですねw

イギリスはすぐにでも協力が必要だったから、これを渋々承諾した。そうなると「あのイギリスが認めたんだから俺達も認めない訳にはいかなくね？」って事で他の列強も領事裁判権を撤廃したんだ。

おお！ 流れ来てますよこれ！

だけどまだ「関税自主権」が残ってるし、大国と戦争して負けたら不平等な条約を結ばされる可能性がある。だから日本は朝鮮と関係を築いて他国からの侵攻を警戒してたんだ。

そういえば西郷さんが「**日朝修好条規**」を結んで朝鮮は開国したと言ってましたね。

実はこの開国が影響して日本と清国は**【日清戦争】**を起こすんだよ。

そうなんですか!? 詳しく教えてください。

まず朝鮮は清朝の子分みたいな関係性なのは知ってるかな？

はい！ 西郷さんが言ってましたね。

この主従関係なんだけど、朝鮮が日本と条約を結んだ事で朝鮮国内では派閥が生まれ始めていたんだよ。

それが「**清国から独立して日本のように近代化するべし**」という“親日派”と、「**清国との主従関係は続けて再び鎖国するべし**」という“親中派”だ。

毎回なにかしらの派閥で争ってる気がするw

こうなると“**親中派**”を推す清国と“**親日派**”を推す日本という構図になっていって日本と清朝の関係もバチバチになったんだよ。

朝鮮をめぐる三角関係になっていったんですね！

加えて、当時清朝は列強との戦争に敗れて財政が厳しくなってた。だから清朝は「もう朝鮮を支配して税を取った方が良くないか？」って考えも浮上していたんだよ。

もう丸々取り込んでやろうと考えていたんですね。

これは日本にとったら都合が悪くてね……。図で分かる

通り、清朝が朝鮮を支配したら、日本の大部分を攻撃することが可能だろ？ 日本の国防を考えるとこれはマズい。

だけど朝鮮が独立してたら、清朝からは日本を攻撃する事は出来ないし、攻撃出来ても被害は九州だけで抑え込む事が出来る。日本を守るうえで清朝には絶対に朝鮮に近づいて欲しくないんだよ。

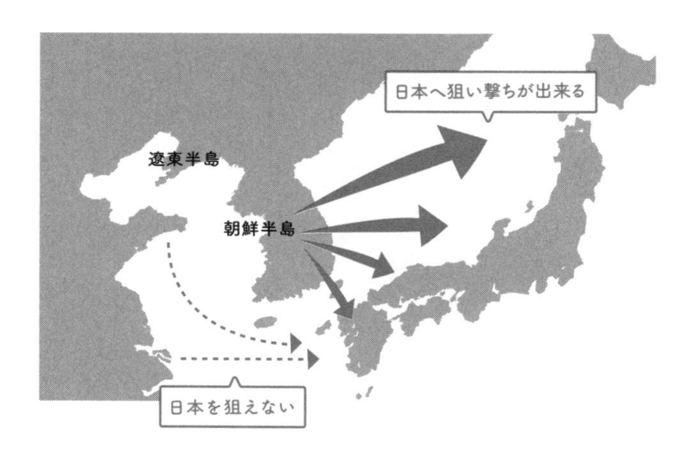

確かにこれは危険な状況ですね……。このまま何事も無く終わればいいんですけど……。

だけどそんな時、朝鮮で外国人を追い出そうという反乱が起き始めた。それをなんとかしようって事で日本と清朝は朝鮮に兵を派遣したんだけど、この反乱が収まっても日本軍も清朝軍も引き上げようとしなかったんだよ。

ぴろすけ

えぇ!? なんでですか？

陸奥宗光

清朝は「**帰ったら日本に朝鮮が奪われる！ 絶対動かない！**」と思って、日本も「**ここで帰ったら清朝は朝鮮を支配する！ 芋引けるか！**」って感じで両国とも朝鮮に居座ったんだよ。

ぴろすけ

朝鮮からしたら超迷惑じゃないですか！

陸奥宗光

本当だよねw だけど両国が引けない理由は他にもあって、南下したいロシアもこの朝鮮に目をつけていた。だから「**アイツらがいなくなったら俺が朝鮮奪ったるわ！**」とニヤニヤして様子を見ていたんだ。

ぴろすけ

朝鮮からしたら最悪のトライアングルですね泣

陸奥宗光

それだけ朝鮮は重要な場所なんだよ。だから清朝と日本は睨み合いを続けて、その影響で勃発するのが【日清戦争】だ。

1894年「日清戦争」勃発。

そういった流れだったんですね。

日本と清朝は**【下関条約】**を結んだ。この条約で朝鮮を独立させる事に成功したんだけど、条約に書かれていたある一文が列強を刺激してしまったんだよ。

その一文とはなんですか？

「**遼東半島を日本に渡す**」というものだ。遼東半島は清朝の足場になる場所で、朝鮮もお隣にあるから最高の物件なんだよ。だから列強はこれを日本に渡したくなかったんだ。

会社とコンビニがやたら家から近いって感じですかね？

そういう認識でいいと思うよw 特に南下したいロシアからしたら、その最良物件を絶対に日本に取られたくなかった。

だからロシアはフランス・ドイツと協力して「**遼東半島は清朝に返しなよぉ〜可哀想だろぉ〜？**」と指鳴らして

脅しをかけてきたんだ。

ぴろすけ

エゲつない！ 絶対逆らえないじゃん！

陸奥宗光

そう！ 強国３人に脅されたらさすがに無理！って事で日本は遼東半島を清国に返した。この脅しは**【三国干渉】**と呼ばれるぞ。

ぴろすけ

マジで悔しいですね……。

陸奥宗光

しかもこの三国は清朝が弱まったのをいい事に、清朝の土地の一部を影響下に置いた。その上「遼東半島」はロシアに取られたんだ。

ぴろすけ

はぁ!? なにそれ!? じゃあ戦争に勝ってロシアに遼東半島をあげた感じじゃないですか！

陸奥宗光

そうだ！ だから日本でもロシアを許さんって恨みを持つようになるよ。

ぴろすけ

そりゃブチギレますよ！

陸奥宗光

だけど一番たまらないのは清国だった。小国の日本に負けた事で列強は調子に乗り出してね。俺も俺もと清の領土に入り込んできたんだよ。

ぴろすけ

最悪！ こうなったら清国でも不満が募りそうですね。

勿論そうなった。清国では【**義和団**】という組織が生まれ、外国人に対抗しようと動き出した。そして清朝政府は義和団と手を組んで列強に宣戦布告をしたんだよ。

1900年「北清事変」勃発。

この戦いは結果を言うと列強の勝利に終わる。だがこの戦いに参加した日本軍は大活躍して、日本は世界から評価されるようになったんだよ。

日本の認識が変わった戦いでもあるんですね。

日本は憎きロシアに対抗する為、同じくロシアの南下を止めたいイギリスと同盟を結ぶ事になる。そして大国ロシアとぶつかる【**日露戦争**】がこっから始まるのさ。

明治最大の戦いですね！

この続きは日露戦争で活躍した「**東郷平八郎**（とうごうへいはちろう）」に話を聞いたらいい。

分かりました！

近代国家の仲間入り！
戦略で勝った「日露戦争」

清国に入り込んだ列強を追い出す為「**北清事変**」が巻き起こる！この戦いで世界に認められた日本だったが、ここから大国のロシアとぶつかる「**日露戦争**」が勃発する事になる！ 小国の日本は果たして勝てるのか!?

日露戦争の英雄「**東郷平八郎**」に話を聞くしかない！

では東郷さん、自己紹介お願いします。

東郷平八郎。1848年に薩摩で生まれた。大好物はビーフシチューだ。

ビーフシチュー？

イギリスに留学した時にハマってね。日本に戻った時に部下に無理やり作らせたんだ。だけど部下は作り方を知らないから、似たものを作った。それで出来たのが「**肉じゃが**」だ。

えぇ!? 肉じゃがって平八郎さんが作らせたんですか!?

今じゃ主婦の味方みたいな料理になってるけどねw

この話は最近否定されているが好きな話なので書きましたw

凄い逸話を聞いてしまったぜ！ じゃあ早速聞きたいんですけど、【日露戦争】はどういう経緯で始まったんですか？

ロシアは冬でも凍らない港を求め、南下をしようと考え

ていたのは知ってるかな？

はい！ 何度かその話は聞いてます。

その南下の為にロシアは自国の南に隣接する清の**【満洲】**を影響下に置きたいと思っていた。それでロシアは北清事変で兵を派遣した時に、どさくさに紛れてこの満洲を影響下に置いたのさ。

えぇ!? じゃあ戦いでバタバタしてる時に勝手に居座ったんですか!?

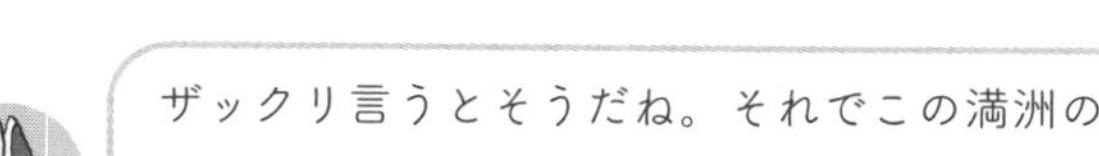

ザックリ言うとそうだね。それでこの満洲の下には日本と関係を結んでいる朝鮮がある。ロシアはこの朝鮮も欲しがっていたんだよ。

そういや日清戦争の時も狙ってましたよね……。

このまま南に来られたら日本にとっても危険だろ？ だから日本はイギリス、アメリカと協力して「満洲から出て

いけ！」とロシアに抗議したんだよ。

ぴろすけ

それでロシアは出ていったんですか？

東郷平八郎

ロシアは口笛を吹いて無視してた。

ぴろすけ

もう殴って教えるしかないですよコイツは。

東郷平八郎

いや、日本はロシアと戦うつもりは無かった。日本とロシアじゃ国力差があり過ぎたんだ。

ぴろすけ

どれくらい差があったんですか？

東郷平八郎

ロシアの陸海軍兵力は日本の約６倍、軍事費は約８倍、人口も当時日本は約4000万人に対しロシアは１億人以上だよ。

ぴろすけ

いや、圧倒的過ぎるだろ！　さすが大国！

東郷平八郎

だから日本はロシアと交渉する事にしたんだ。「**もう満洲は好きにしていいから朝鮮はほっといてくれ**」って。

ぴろすけ

とにかくこれ以上近づいてくるなとw

東郷平八郎

だけどロシアはそれを拒否！　なんなら朝鮮に勝手に砲台を築こうと動き出していたんだよ。

もう舐められてますね日本は！

さすがに日本もここでロシアを止めないとマズいと思ってね。「なら今、喧嘩してやるよピロシキ野郎！」って事でロシアに宣戦布告をした。これが**【日露戦争】**だ。

1904年「日露戦争」勃発。

でも国力的に日本は不利なんじゃないですか？

日本はこの戦いの為にアメリカとイギリスから資金を借りた。だけどそれでもギリギリだから「**戦えても1年**」と定めて短期決戦で戦う事を決意したよ。

なら持ってる全てをぶつけるしかないですね。

それで一番大事なのはロシアの**【バルチック艦隊】**が来る前になんとか戦況を有利にする事だった。

バルチック艦隊？

ロシアが誇る強力な艦隊だ。ロシアは旅順港って場所に**【太平洋艦隊】**を配備していて、この艦隊とバルチック艦隊を合流させて、日本と戦うつもりでいた。だから合流する前にこの太平洋艦隊をどうにかしたかったんだ。

強力な艦隊同士が合体したらたまりませんもんね。

そう！　それで日本は太平洋艦隊をぶっ壊そうと海から奇襲を仕掛けた。だがこれは上手くいかず……、**なら陸路から攻めて直接、艦隊に砲弾をぶち込もう**と考えた。

この作戦は上手くいったんですか？

いや、順調にはいかなかった。砲撃はするが弾が艦隊に当たったか分からなくて、ロシアには**【旅順要塞】**と呼ばれる鉄壁の守りがあったから、何度も日本軍は蜂の巣にされた。

やっぱロシア強えぇ……。

しかし日本軍も負けてなかった！　日本軍は**【203高地】**という山を占拠して、ここから砲撃の狙いも定めやすくなった。だから太平洋艦隊を破壊する事に成功したんだ！

おお!! ついにやりましたね！

そして他の戦線でも日本軍はロシア軍を苦しめて、後は日本に向かってるバルチック艦隊との決戦を待つだけだった。そして最高な事にここで運が味方した！

運？

このバルチック艦隊はヨーロッパにいて最短ルートで日

本に来る予定だったんだけど、奴らはイギリスと揉めてしまい、イギリスに最短の【スエズ運河】を封鎖された。だから遠回りで日本に来る事になったんだよ。

ぴろすけ

グッジョブ！ イギリス！

東郷平八郎

しかも彼らとは同盟関係だったから、イギリスはとにかくロシアに嫌がらせしまくってくれたんだ。

ぴろすけ

嫌がらせって何したんですか？

東郷平八郎

バルチック艦隊は遠い距離を移動するから燃料や食料が足りなくなる。だから途中で他国に寄って補給しなきゃいけないんだけど、イギリスは自分の植民地にロシアを入れないようにして、その補給を妨害したんだよ。

ぴろすけ

イギリス最高やんけ！

東郷平八郎

そういった事でバルチック艦隊が日本に着いたのは出発から約7カ月後。長距離移動に加え補給もままならないからヘロヘロだったんだよ。

ぴろすけ

これはぶっ飛ばすチャンスじゃないですか！

東郷平八郎

そして私が指揮する連合艦隊とバルチック艦隊はぶつかる事になり【日本海海戦】が始まったんだ。

1905年「日本海海戦」勃発。

東郷平八郎

この時、Z旗という旗を揚げて仲間達を鼓舞した。これはまさに運命の一戦だったんだよ。

Z旗の意味

“皇国の興廃この一戦にあり、各員一層奮励努力せよ”

（この戦で日本が滅ぶか、栄光を掴むかが決まる！ お前ら死ぬ気で頑張れよ！）

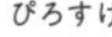
ぴろすけ

この戦いで日本の未来が決まるんですね！

東郷平八郎

負けたら日本も植民地支配されるかもしれないからね。絶対に負けられない戦いだよ。だから私は「**丁字戦法**（ていじせんぽう）」を行う事にしたんだ。

ぴろすけ

丁字戦法？

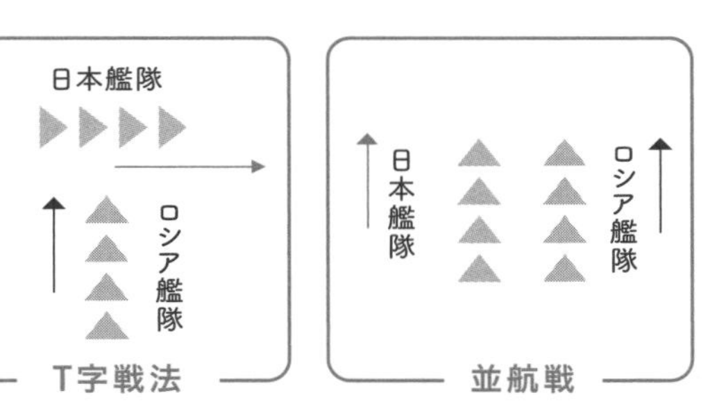

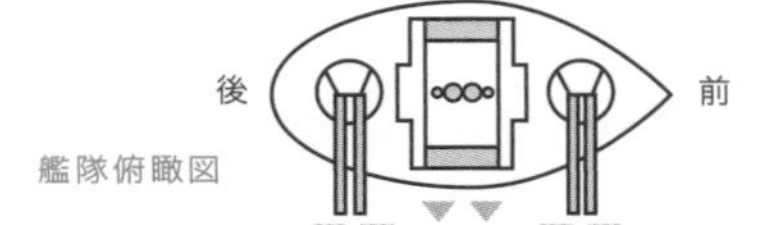

敵側に向く片面側の大砲をフルに使える！

東郷平八郎

図で分かる通り、軍艦の大砲は前と後ろ、そして横に付いてるだろ？ だから前後の大砲を横に切り替え、全ての大砲をフルに使い、敵と相対して撃ち合うのが当時の通例だった。だがこの丁字戦法は敵の艦隊の上に横一列に艦隊を並べて、敵の砲弾が当たらない位置で一斉射撃する戦法だ。

凄い技ですね！ でも相手もこの戦法を簡単にはやらしてくれないと思いますよ……。

ぴろすけ

東郷平八郎

本来ならな。だがバルチック艦隊はヘロヘロ状態だ。だから注意力が散漫になっているから、奴らを出し抜けると私は思ったんだ。

でも戦に絶対は無いですよね？

ぴろすけ

東郷平八郎

勿論だ！ だけどここに賭けるしか無いと思い、私はバルチック艦隊のギリギリまで近づき、ここで一気に舵を切り替えた！

頼む！ 勝ってくれっ……!!

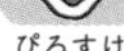

東郷平八郎

結果は……大成功だ!!

うぉー!!! やったぜ！

ぴろすけ

この意表を突かれた攻撃にバルチック艦隊は対応出来ずに壊滅！ 日本の大勝利でこの海戦は幕を閉じる事になる。

この時の丁字戦法の形は「丁」の字でなく「イ」の字で、この東郷の急激なUターンは「東郷ターン」とも呼ばれるよ。この作戦は「秋山真之(さねゆき)」という軍人が参謀にいたからこそ成功出来た！

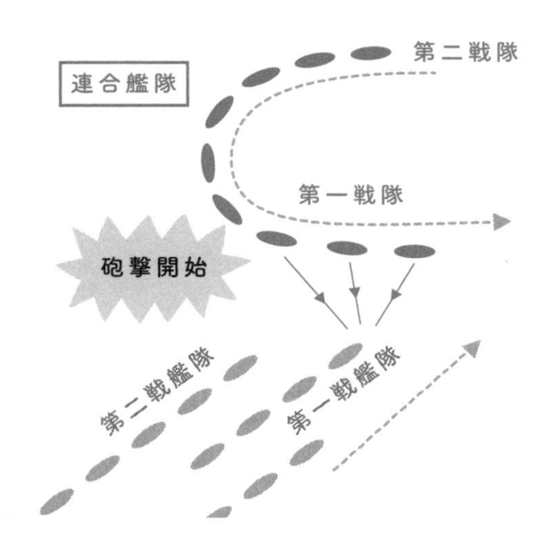

小国の日本が大国を打ち負かすなんて……圧巻ですね！

戦争に勝利した日本はロシアと**【ポーツマス条約】**結び戦争は終結する。この条約を結ばせた「小村寿太郎(じゅたろう)」という男は後に「**関税自主権**」も回復させて不平等条約も無くなるんだよ。

日本は近代国家として仲間入りを果たしたんですね！

多くの英雄が悩み、気付き、決断したからこそ時代を築けた！ 今を生きる人達にも期待してるよ。

最高の締まり！ 感謝です！ 第２部は以上になります！ ありがとうございました！

（第２部「完」）

グローバルに見る近現代史

文・いつかやる社長

まあまあ…

20世紀初期～中期

戦争は世界規模の時代へ

世界を巻き込んだ人類初の大戦はなぜ起きたのか

今から約100年前に人類に未曾有の戦争が起きた。それが**第一次世界大戦**だ。この悲惨過ぎる戦争は、はたしてなぜ起こってしまったのか？ どうやらそれは、この時代の「国と国との関係」に原因があるようだ。当時の世界はどんな状況だったのか。今回は、当時イギリスの首相を務めた政治家**ロイド・ジョージ**から話を聞いてみよう。

単刀直入にお聞きしますが、**第一次世界大戦**という世界を巻き込んだ戦いが起こってしまった原因はなんでしょうか？

ふむ。その前に、当時の世界がどんな状況かを見ていく必要がある。この時代のヨーロッパは**帝国主義の時代**だ。産業革命で工業力と軍事力を手に入れた国が、世界に覇（は）を唱えて世界を征服せんとばかりに拡大していった。

例えばどんな国ですか？

ロイド

やはり、まずは我が**イギリス帝国**だ。この時代のイギリスは世界中に植民地を持つ歴史上最も大きな領土を持つ国だったんだ。他にも、中東の方に勢力を伸ばそうとしていた**ドイツ**、アフリカに多くの植民地を持つ**フランス**、東ヨーロッパやアジアに手を広げた**ロシア**などだ。

社長

まさに戦国時代のようですね。

ロイド

そうだ。大国同士は地理的に近い事もあり、１つの問題で戦争になる可能性がある。そこで大国は非公式の同盟を結んだ。

社長

非公式の同盟？

ロイド

そう、それが**三国協商**と**三国同盟**だ。

社長

なるほど、緊急事態に備えた組織ですね。

ロイド

ああ。だが各々に戦略的な考えがあり、当時イギリスとフランスはドイツを警戒していた。そこでドイツの背後にあるロシアを含めて**三国協商**を作り、ドイツを包囲しようとしたんだ。ドイツもオーストリア＝ハンガリー、イタリアと組み、これに対抗しようとした。これを**三国同盟**という。

社長

いや、完全に２つに割れちゃってるじゃないですか！

それでもバラバラになるよりかはマシだったんだ。そんな中、問題が起きたのが**バルカン半島**だ。現在のスロベニア、クロアチア、ボスニア・ヘルツェゴビナ、セルビア、モンテネグロ、コソボ、北マケドニア、アルバニア、ギリシャなどがある地域だ。

何が問題だったんですか？

ここは今も昔も民族や宗教、言語がバラバラな国が多く、常に問題を抱えていた。こうした国はそれぞれ大国との付き合いもあり、バルカン半島の問題はそのまま大国同士の戦争になりかねない事から、バルカン半島は**ヨーロッパの火薬庫**とも言われていたんだ。

なるほど、ここで問題が起きると大国が出てくる事になるんですね。

そう、そんな中、ある事件が起きた。それが**サラエボ事件**だ。

サラエボ事件？

当時オーストリア帝国に支配されていたボスニアのサラエボで、オーストリアの皇位継承者が銃撃され暗殺されてしまったんだ。

ええ！　犯人は？

オーストリアを敵視していたセルビアの人物だったんだ。当然オーストリアはセルビアを許さず戦争を仕掛けた。これが第一次世界大戦の引き金になったんだ。

ここからどう世界が動いたのですか？

最初はオーストリアとセルビアの戦争として始まったのだが、このセルビアは実は三国協商の1国ロシアと関係が近かった為、ロシアが戦争をやめるように割って入ったんだ。

ロシアが間に入りセルビアを守ろうとしたんですね。

すると今度は、オーストリアと同盟を結ぶドイツが、ロシアに対して手を出すなと警告を発した。

ああ、互いの後ろに大国が入ってきたんですね。

しかし、ロシアはこの警告を無視。その結果ドイツは、オーストリアとセルビアの戦争に介入した。

一気に大きな戦争に膨らみましたね。

ドイツがロシアを相手にすると三国協商のイギリスやフランスがロシアの味方になる可能性があった。これはドイツにとって好ましくはない。

ドイツはどうしたんですか？

まずフランスを抑えようとフランスに先に攻撃をし、フランスを動けなくさせようと考えたんだ。

フランスが動く前に先に叩こうと……。

そう。しかし、フランスを攻撃する為にドイツは、両国の間にあったベルギーを通ってフランスに行こうとした。

フランスに行く道だったのですね。

しかし、全く無関係なベルギーを通るという事はベルギーを巻き込む事に繋がる。これにイギリスが怒り、この戦いに参戦したんだ。

第一次世界大戦が完全に勃発してしまった。

ああ。1つの事件が火薬庫で起きただけでなく、複雑な関係性があったんだ。

しかし、三国同盟にはイタリアも入っていたと言っていましたが、イタリアは何をしていたのですか？

イタリアも三国同盟だったが、オーストリアと領土問題

で揉めていて実は仲があまりよくなかった。そこで、戦争が始まると三国同盟からこちら側に寝返り、我々の味方となって戦ったのさ。

なるほど、ある意味チャンスでもあったのですね。

そうだ。そして、オスマン帝国がドイツ側についたり、日本やアメリカが我々側について戦ったりと、まさに世界を巻き込んだ戦争へと発展していったんだ。

これが第一次世界大戦なのですね。

世界が二分化された世界には、常に争いの危険性があるって事だな。君達の時代も決して安心ではないかもしれないぞ。

大国の複雑な思惑が悪い方に重なって起こってしまったのが第一次世界大戦だった。そして、この戦争の本当に恐ろしいところは、**その戦いの中にもあった**という。次はあまり知られていない、第一次世界大戦の「中身」について見ていこう。

第一次世界大戦はまるで「SFの戦争」だった!?

第一次世界大戦は非常に複雑な思惑が絡み合って起きた戦争だったようだ。しかし、戦争への道筋が複雑なだけでなく、戦場そのものも非常に複雑な変化を見せていたという。当時の戦争は、まさに**未来的な戦争**だったそうだ。100年以上も前の戦争に未来的とは、一体どういう事なのだろうか？ 当時の状況を知る兵士に取材を行った。

社長

第一次世界大戦で活躍されたという事なのですが、戦場は一体どういう状況だったのでしょうか？

兵士

まさに地獄の一言だったな。ひたすら土を掘り、塹壕に籠り、自分の上に砲撃が来ないのをただただ祈り続ける毎日さ。雨が降れば膝まで冷たい泥水に浸かったし、さっきまで生きてた同僚兵士の死体に隠れて寝て、朝起きて自分が死んでない事に安堵する日々だった。そんな生活を4年以上も続けたんだ。

社長

おおう、それは確かに地獄ですね……。しかし、なぜ4年間も続いたのですか？

兵士

当初は数カ月で終わるって言われてたんだ。1914年の7月に戦争が始まると、大学で先生が突如愛国心を語り、俺達に英雄になれって騒ぎ立てたんだ。そりゃみんなは心震わされるんだ。あんな状況で戦争に行きたくないなんて言おうものなら、何されるか分かったもんじゃねえ。

社長

同調圧力ですね。

兵士

そうやって大した訓練もせずに最前線に行くんだ。俺だって最初は燃えていたさ。国から花束を持たされて、本当に英雄になった気分だった。でも、戦場に着けばすぐに絶望に変わった——。

死の世界ですね……。

初めは昔の戦争みたいに騎馬攻撃や集団で突撃をしていた。そんな中、まず飛び込んできた攻撃が**最新のマキシム機関銃**だった。それまでの機関銃に比べて軽く、毎分500発の発射速度で一斉に敵陣から放たれる。一瞬、何が起きたか分からず、気がついた時には周りのみんなは死んでいたよ。

想像するだけで恐ろしい……。

機関銃の登場で騎馬軍は使われなくなり、歩兵も塹壕を掘るようになったんだ。塹壕を先に長く掘って相手の頭を抑えれば包囲出来るから、**敵も味方も必死に塹壕を掘った**さ。

どのくらい長くなりましたか？

北海からスイス国境まで。約764キロメートルだ。

国が分断されてるじゃないですか！

こうして塹壕戦になると戦争は長期化していく。そんな塹壕戦の中ではどんな攻撃が行われると思う？

やはり銃の撃ち合いでしょうか……？

半分正解だ。ただそれ以外にも、**隙をついての突撃攻撃**があった。

機関銃の餌食になりませんか？

勿論、なるさ。だけど、敵の塹壕は数十メートル先にある。猛ダッシュして運がよければ相手の塹壕に飛び込める。飛び込んだら、今度はスコップや銃剣で白兵戦が始まる。敵味方入り乱れた殴り合いだ。

第一次世界大戦で大量の死者が出たのはこのせいだったんですね。

ああ。だけど、そんな事やっててもあまり意味が無い。無謀な突撃が繰り返されても戦争は長期化していくだけだ。そこで新しい兵器が誕生してくるんだ。

新しい兵器？

ああ、**戦車**だ。

戦車？

この戦争で初めて戦車が使われた。塹壕の破壊や歩兵の防御の為だ。でも、それだけじゃない。この時代に発明された飛行機が初めて戦争にも投入され、もともとは偵

察任務だけだったが、戦争が長期化すると、爆撃や空からの銃撃に使われるようになった。

この時代から見たら異常な光景ですね……。

社長

兵士

空からと言えば、大砲の弾薬も巨大化していった。第一次世界大戦で一番多く人を殺したのは**砲撃**なんだ。

そうなのですね。他にはどのような兵器がありましたか？

社長

兵士

この戦争で一番の新兵器——それは**毒ガス**だ。

毒ガス……。

社長

兵士

ドイツが最初に利用した塩素ガスは一度の攻撃で5000人の死者が出た。

対策はとれなかったのですか？

社長

兵士

すぐに塩素を中和する次亜塩素酸を染み込ませたガスマスクが作られたが、問題は1917年にドイツが「イーペルの戦い」で使用した**マスタードガス**だ。

マスタードガス？

社長

兵士

ああ。それまでの毒ガスと違い、皮膚に触れただけで死に至らしめる凶悪なガスだ。ガスマスクなんざ、もはや無意味になっていった。

なんという恐ろし過ぎる兵器なんだ……。

もはや兵器が人間を上回った事で、まともに戦うのではなく塹壕に籠って膠着（こうちゃく）状態になったんだ。

では、この戦争はどうやって終わったのですか？

ドイツが行った**無限潜水艦作戦**の影響だ。

無限潜水艦作戦？

ドイツはこの戦争の新兵器の1つ潜水艦を使い、敵対国の民間船を無差別に攻撃するという作戦を行ったんだ。

民間を巻き込むとはドイツもまたひどい作戦をやりますね……。

この作戦に対してアメリカは平和と民主主義、人権を守る！として、第一次世界大戦に参戦してきたんだ。

やはりアメリカの力は強いんですね。

それだけじゃない。戦争の長期化の影響で、ロシア帝国で革命が起こり、国が崩壊。ドイツでも革命が起こり、

ヴィルヘルム２世が亡命した事で、もはや戦争は続けられなくなったんだ。こうして1918年に戦争は終わった。

新しい時代と共に新しい兵器が使われ、その影響によって戦争が長引き、結果的には新しい国が生まれ、戦争は終わった——。

社長

兵士

ああ、その後は**国際連盟**という現代の国連（国際連合）の先駆けになるものが作られ、国際協調の道筋を模索していく事になっていく。

人類が自分達でも手に負えない兵器を作り、投入し、多くの死者を出した——。100年前の戦争に登場した未来的な兵器の数々、その兵器は現代でも運用されるものとなった。それまでには無かった鉄の塊が陸を進みながら大砲を撃ち、空からは銃弾や爆弾を降らす高速の飛行機が誕生し、海中からも船を狙った潜水艦が襲ってくる。まさに未来的な戦争。この戦いはもはや人類の手を離れた戦争になってしまった。

しかも、この戦争は、後に行われる新たなる戦いの火種になってしまう。次は**世界を巻き込んだもう１つの大きな戦い**について見ていこうと思う。

株価暴落と戦争勃発にある密接な繋がりとは

世界を巻き込んだ２度目の激しい戦争、それが**第二次世界大戦**である。世界に多くの傷跡を残し、新しい秩序まで作られた戦争だが、実はこの戦争が起きたのは、アメリカで起きた世界恐慌が原因の１つと言われている。

株価暴落と戦争勃発に一体どんな関係があるのか、イギリスの当時の首相ウィンストン・チャーチルに話を聞いてみよう。

という訳で、よろしくお願いします！

チャーチル

よろしくな。

社長

まずは第一次世界大戦が終わってから世界恐慌までの状況を教えてください。

チャーチル

俺達ヨーロッパ勢は国が戦場になったんだ。ボロボロの国を立て直さなければいけない、復興に決まっているだろう。アメリカから借りた金も返さなきゃいけないしな。でも、**ドイツ**はもっと大変だったんじゃないか？

社長

ドイツが？

チャーチル

敗戦国になってしまい、ヴェルサイユ条約のもと、1320億金マルクという賠償金に頭を抱えていたんだ。国家予算の数十年分の額だ。

チャーチル

更に、支払いが滞るとフランスがルール地方を占領して炭鉱を有する工業地帯を分捕ってしまったからな。

社長

敗戦国の辛いところですね……。

チャーチル

まぁ、そんなんでドイツは経済的にピンチだったんだ。

そんなドイツを助けてやったのが**アメリカ**さ。

アメリカがドイツを？　どのように？

第一次世界大戦でアメリカは戦場にならなかっただろう？　だからヨーロッパなどへの輸出を増やし、一気に好景気！　金持ちの国家になっていたんだ。その金を使い、ドイツを救済してやっていたんだ。特にアメリカの銀行家**チャールズ・ドーズ**が支払方法や支払期限を新しくまとめた**ドーズ案**を作ったり、賠償金を下げる**ヤング案**を作ったりな。

なるほど。そうすれば、アメリカからお金を支援されたドイツが、そのお金をヨーロッパの賠償にあてる。そして、ヨーロッパはアメリカに借金を返す。いい循環じゃないですか！

だけど、上手くいかなかったんだ。そう、**世界恐慌**のせいだ。

世界恐慌……。

1929年10月24日、アメリカの株式市場で株価が大暴落した。暗黒の木曜日だ。

アメリカの国民は好景気だった頃には多くの投資を行うのが当たり前だったから、この大暴落をきっかけに瞬く

間に不景気の時代がやってきたんだ。

アメリカの支援が無くなると、ドイツは賠償金を払う事が難しくなるのでは……？

チャーチル

だから、当時のアメリカ大統領ハーバート・フーヴァーが「**フーヴァー・モラトリアム**」を作って、ドイツの賠償金の支払いを1年猶予する事にしたんだ。

社長

でも、ドイツの賠償金に依存していたヨーロッパからすると、1年猶予されるのは厳しいのでは……？

チャーチル

ああ、大変だ。ヨーロッパはアメリカの経済が戻らないと何も出来ないんだ。そこでアメリカはフランクリン・ルーズヴェルト大統領のもと、**ニューディール政策**を行い、なんとか経済を復活させようとしたんだ。

社長

ニューディール政策では何をしたんですか？

チャーチル

政府が市場に介入して金融機関の救済や貧困層向けの社会保障の法律を作ったんだ。だが結局は経済低下を食い止める事で手一杯のまま第二次世界大戦の開戦を迎えた。

社長

アメリカも追い込まれていたけど、これでなんとかギリギリのところで耐えられたと。後のライバルとなったソ連はどうでしたか？

チャーチル

ソ連は共産主義を目指して、この時から既に世界の経済圏からいなくなっていたんだ。だから、世界恐慌の影響はほとんど受けていないのさ。

社長

影響を受けたほかの国はどうしましたか？

チャーチル

ブロック経済という手法をとったのさ。

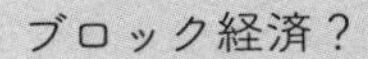
社長

ブロック経済？

チャーチル

自国内や自国が持つ植民地に外国から入る輸入品に対して重い税金（関税）をかけたんだ。さらに、植民地間でのやり取りも全て、自国通貨しか使えなくさせた。

社長

お金持ちの国が得するシステムですね。

チャーチル

ああ。だから、**植民地を持たない日本、ドイツ、イタリア**は焦っただろうね。自分達は経済を再建出来ない。だから、すぐに自分達のブロック経済を作ろうとしたんだ。

チャーチル

また、この時代になると、植民地を持たない国で**ファシズム**が流行り出したんだ。

社長

ファシズム？

チャーチル

イタリアのムッソリーニが率いた国民ファシスト党が元

になったのだが、簡単に言えば、独裁国家の事さ。イタリアでは国民ファシスト党が国の実権を握り、ドイツではヒトラー政権が誕生し、自分達に都合のいい法律を作り独裁者となった。

日本でも軍が強い影響力を持ち、政治を左右出来るようになっていましたね。

こうして世界は、世界恐慌をなんとか生きられたイギリス・フランス・アメリカ・ソ連と、世界恐慌でより苦しんだ日本・ドイツ・イタリアに分かれた。

その後は植民地を持たない国が動いたと——。

そうだ。イタリアはエチオピアに侵攻し、日本は満洲事変や上海事変で国際連盟から離脱すると中国に侵攻し、ドイツはポーランドに侵攻した。

そして、ドイツのポーランド侵攻に対してイギリス、フランスが宣戦布告した事で、第二次世界大戦が勃発したんだ。

世界恐慌をきっかけに世界で分断が起きて、分断された勢力同士がぶつかり合った訳ですね。

そういう事だ。更に言えば、世界恐慌の前の第一次世界大戦からの影響もある。

つまり、敗戦国ドイツからすれば、リベンジのチャンスでもあった――。

ここにもさまざまな思惑が絡んでいるのさ。

そうですか。ありがとうございました！

１つの事件を契機に国の思惑がぶつかり合う。こうして始まった第二次世界大戦も、第一次世界大戦と同様にここまで大きくなるとは誰も予想していなかったはずだ。

20世紀中期

そして第二次世界大戦が始まった

全世界を巻き込んだ2度目の激戦が始まる

アメリカで起きた世界恐慌をきっかけに、ついに第二次世界大戦が勃発した。戦争終結までおよそ6年間という膨大な歳月を費やし、この戦争によって8000万人を超す人間が被害者となった。

一口に第二次世界大戦と言ってもさまざまな戦いがあるのだが、一つ一つを切り取っていくと膨大な数になってしまう為、今回は第二次世界大戦の大きな流れを、再びイギリスの**チャーチル**元首相に聞いていこう。

第二次世界大戦の大きな流れについて教えてください。

先程も言ったようにドイツがポーランドに侵攻して始まったのだが、実は、そもそもの原因としてソ連とドイツで結ばれた「**独ソ不可侵条約**」というものがある。

確かドイツとソ連がお互いを攻撃しないと約束した条約と習った気がします。

それは表向きの内容だ。実はそのほかにも、これは機密協定なのだが、ポーランドを両国で分割する事、バルト三国（エストニア、ラトビア、リトアニア）をソ連領にする事が盛り込まれていたんだ。

おぉ、それはなんと身勝手な協定ですね……。

その通りだ。この協定でソ連が攻撃してこない事を確約させたドイツは、**1939年にポーランドに侵攻**した。

なるほど、そんな戦略があったのですね。

ドイツがポーランドに侵攻すると、イギリスとフランスはポーランド側につき、ドイツに宣戦布告をした。こうして世界を巻き込んだ戦いに発展していく訳だが、これに便乗したソ連もポーランドに侵攻した事でポーランドは**1カ月で地図上から姿を消した**んだ。

大国に挟まれているポーランドはかわいそうですね……。

1940年になると、ドイツがデンマーク、ノルウェー、オランダ、ベルギーにも侵攻した。この時にドイツが行った戦い方が**電撃戦**というものだ。

電撃戦……？

戦車、輸送車など、機械化された軍隊で速さを生かして進軍し、その軍隊を戦闘機や爆撃機がフォローするという近代の戦い方さ。ドイツのスピードについてこれない国は、ドイツに抵抗するだけで必死になってしまった。

第一次世界大戦の敗戦国とは思えない強さですね。

またこの時期になると、ドイツの強さを見たイタリアの**ムッソリーニ**がドイツ側として参戦してきた。これで怖いものが無くなったドイツはいよいよフランスにも侵攻を開始するのだが、フランスも、**対ドイツの為に巨大な要塞**を築いていた。

巨大な要塞とは……？

マジノ線だ。ドイツとフランスの国境をカバーする程巨大な要塞だったのだが、ドイツはこれに対してベルギーの森林地帯を突破し、迂回する形でフランスになだれ込んできた。国内に入り込まれてしまったフランスに勝ち目は無く、ものの数週間で陥落してしまったよ。

フランスにはイギリスの外国派遣部隊もいたと聞いたのですが、これもやられてしまったんですか？

いや、**ダンケルク**という海岸から、軍用艦だけでなく、貨物船や漁船、遊覧船から後方にいた大型の船までを

使って30万人の派遣部隊を運んで撤退したさ。

おお！　それは凄い。

チャーチル

フランスが陥落すると、ドイツはイギリスもターゲットにし、上陸作戦を慣行したんだ。上陸する為にはまず、空に自由に航空機を飛ばせる制空権を確保する必要がある。そこでドイツは、大量の戦闘機と爆撃機をイギリスに向かって飛ばした。これに対してイギリスも航空戦で迎え撃ったんだ。これが第二次世界大戦の中でも有名な空中戦「**バトル・オブ・ブリテン**」だ。

この空中戦の勝敗はどうなったのですか？

我がイギリスの戦闘機「**スピットファイア**」は世界一さ！　ドイツに負ける訳がないだろう！

ああ、申し訳ありません……！

まぁ、それでもイギリス領内を攻撃されたのは事実だ。だけど、ドイツの作戦失敗に終わらせる事が出来、イギリスへの上陸を諦めたドイツには焦りが見え始めていた。

それまで連戦連勝だった訳ですからね。

そこでドイツは、急遽（きゅうきょ）イタリアと共に地中海の国を制圧

すると、そのまま不可侵条約を結んでいるソ連の方向に侵攻を開始したんだ。これを「**バルバロッサ作戦**」と言う。

これはドイツの奇襲攻撃ですね。

そうだ。この勢いは凄まじく、ドイツは首都モスクワ付近まで行ったのだが、ここでソ連が驚異的な粘りを見せる。ある援軍が来る11月まで耐え忍んだんだ。

ある援軍とは……？

冬将軍さ。モスクワは冬にマイナス20度にもなる極寒の地だ。ドイツは冬の戦いに備えておらず、冬になると戦えなくなってしまったんだ。

冬将軍、強い……！

ソ連との敗北をきっかけにドイツは次第に鈍化していった。だが、ドイツにはまだ、最後の一撃を喰らわせたい国があった。

最後の一撃？ どこの国です？

アメリカだよ。アメリカは軍事も経済もとても強かった。だが、この時点ではヨーロッパの戦争には介入していなかったんだ。国内の整備も忙しかったからね。

しかし、ここで日本がアメリカの真珠湾とイギリス領マレーに同時に攻撃を行ったんだ。

太平洋戦争勃発ですね。

そう。これで我々の勝利は確定したようなものだ。日本、イタリア、ドイツがアメリカに宣戦布告した事で、ヨーロッパだけでなくアジアやアメリカまでを含めた世界の戦いが始まった。

日本は序盤は凄かったと聞きますが……。

ああ。確かに序盤はアメリカのみならず、イギリスもフランスも勝てなかった。けれど、すぐにスタミナ切れを起こして劣勢になっていったよ。同じ時期にドイツやイタリアもソ連やアフリカ戦線で敗北が続き、枢軸国（連合国と戦ったドイツ側の国々）の敗戦が濃厚になり始めた。

やはりアメリカの参戦が大きいんですね。

そうだ。そして1943年にイタリアが降伏、1944年には連合国が決死の作戦**ノルマンディー上陸作戦**を成功させ、フランスなどドイツの勢力圏を次々に奪う事に成功した。

もう、ここでおしまいですね。

1945年4月には敗北を察したドイツの**ヒトラー**が自殺し、ドイツは降伏。枢軸国で残ったのは日本のみとなった。

日本としては降伏しようにも出来なかったというところですね。

ああ、だけど、**1945年8月に広島、長崎に原爆が落とされ**、その甚大な被害を目の当たりにした日本は降伏を受け入れた。こうして第二次世界大戦は連合国の勝利で終わったんだ。

第二次世界大戦は悲惨な部分ばかりが注目されますが、大局で見るとわりとシンプルな動きの戦争だったのですね。

ヨーロッパとアジアの戦争にアフリカもアメリカも巻き込んだというのが分かりやすいかもな。

ありがとうございました。今後、同じような悲劇的な戦争を繰り返さない為にも、根本の原因と大きな流れ、そして結果どうなったのかをしっかり認識する事が大事ですね。

4年をかけて行われた大激戦！「太平洋戦争」

1941年から始まった**太平洋戦争**。第二次世界大戦の中で起きた1つの戦いだが、日本にとってはこれ以上ないほど多くの犠牲者を出し、また世界でもいまだ日本以外に使われていない核兵器が使用された。戦争の悲惨さだけに目を向けられがちだが、実際にどのように戦いは進んでいったのか。今回は、戦争末期に内閣総理大臣になり、陸軍の反対を押し切って終戦を決定させた**鈴木貫太郎**に流れを聞いていこう。

そもそも、**太平洋戦争**はどのようにして始まったのでしょうか？

もともと日本は中国と日中戦争で戦っている状態だった。この戦争は当初日本が優勢だったのだが、**蔣介石**率いる中国がアメリカやイギリス等から支援されていた為、なかなか勝つのが難しくなっていたんだ。連合国は中国の南方にあるフランスなどの植民地を通って支援されていたから、日本はその支援ルートを断つ為に**南進政策**を行い、東南アジアに進出した。

相手の補給ルートを断つ、戦争の基本ですね。

また日本はイタリア、ドイツと**日独伊三国同盟**を結び、仲間を増やそうとしたんだ。

しかし、イタリアとドイツは既に連合国と戦争状態で

したよね。睨まれなかったのですか？

当然あったさ。これに怒ったアメリカは、日本に対して経済制裁を行ったんだ。

おぉ、輸入に頼る日本としては厳しい状況ですね……。

そうだ。既に国内では戦争は起こるという気運が高まっていたし、アメリカとの交渉でも妥協点は見つからなかった。

戦争が現実になったんですね。

「**戦争は不可避**」と判断し、1941年12月にイギリス領だったマレー半島とアメリカの軍港があったハワイの真珠湾に攻撃を行った。

太平洋戦争の始まりですね。

同時にドイツ、イタリアもアメリカに宣戦布告した事で、戦争はヨーロッパの国だけでなくアジアの方にも波及し、第二次世界大戦と呼ばれるようになったんだ。

日本は東南アジアに進出する際、どういった理由付けをしたのですか？

ヨーロッパの支配を受けるアジアの国々を解放する事、日本を中心とするアジアの共存共栄を目指す事だ。

なるほど、これが東南アジアへ侵攻する為の大義名分になったのですね。では、太平洋戦争はどう進んでいきましたか？

戦争開始から日本は連戦連勝、東南アジアにいた連合国を次々に倒し、マレー半島、ミャンマー（ビルマ）、インドネシア、フィリピンを解放させる事に成功した。

解放させたところまではいいですが、その国々は、その後の日本軍の駐留による支配に対してどう思っていたのですか？

初めは大いに歓迎された。しかし、独立ではなく、やはり支配の側面が強かった。この戦争に巻き込まれたアジアの国が多かったのは、認めるべき負の部分ではないだろうか。

解放という良い部分だけではないのですね。では、その後の日本はどうなっていきましたか？

日本は勝利を続けていたのだが、1942年6月に**ミッドウェー海戦**で大敗を喫してしまう。これが大きな分岐点となり、次第に日本の形勢は悪くなっていったんだ。

社長

それはなぜでしょうか？

鈴木貫太郎

短期決戦が出来なかった事だろう。時間をかければかける程、アメリカの軍事力は強くなっていく。工業力が違うからな。対して日本は、占領地域に軍を駐屯させなければならず、戦力が分散されてしまったから、補給も足りなくなってしまったんだ。

社長

南方戦線では、餓死者やマラリアなどの病気による死者が多かったと聞きます。

鈴木貫太郎

まさに悲惨な戦場だった。それでも日本は戦い続けた。しかし、1944年7月に「**サイパンの戦い**」「**グアムの戦い**」で日本は敗北し、この地をアメリカに占領された。

社長

ここは重要な場所だったのですか？

鈴木貫太郎

ここがアメリカの手に渡ってしまえば、**日本の本土に直接爆撃が出来てしまう**んだ。

社長

それは、とてつもなく重要な場所ですね……。

鈴木貫太郎

1945年5月にはドイツが降伏し、日本は孤立する。そんな中、沖縄の戦いが始まった。島民まで戦いに駆り出され、多大な犠牲を払う戦いになるのだが、そんな沖縄も6月にはアメリカに占領されてしまった。

社長

もはや日本の勝ち目は無くなりましたね……。

鈴木貫太郎

日本の中でも降伏すべきという意見はあったんだ。しかし、軍が徹底抗戦を主張した為、意見はまとまらなかった。

社長

そして、1945年8月6日の悲劇が――。

鈴木貫太郎

そう、原爆が広島に投下された。更に8月9日には長崎にも投下され、十数万人を超す民間人が一瞬にして亡くなってしまったんだ。

社長

恐ろしい兵器としか言いようがない……悪しき攻撃……。

鈴木貫太郎

日本は事前にアメリカ、イギリスとの終戦を仲介するようにソ連に頼んでいたのだが、そのソ連が裏切り、8月8日に満洲・樺太（からふと）・千島列島に侵攻してきたんだ。

社長

もう抗（あらが）う事も出来ませんね……。

鈴木貫太郎

私は既に終戦に向けての工作を進めていたが、一気に加速させ、9月2日に降伏文署に調印し、太平洋戦争の終結と同時に第二次世界大戦も終結となった。

社長

230万人もの多くの命が失われた戦争。二度と繰り返してはいけない、そう考えながら今回のインタビューを終わりたいと思います。

真珠湾攻撃の裏にいた日本のスパイ・吉川猛夫とは

第二次世界大戦の中、日本とアメリカがぶつかり合うきっかけとなった**真珠湾攻撃**。これは1941年12月7日（現地時間）、アメリカのハワイ・オアフ島にある真珠湾にいたアメリカの艦隊に対して日本軍が攻撃を仕掛け、多くの打撃を与えた作戦だ。この作戦の成功の裏には、ある日本のスパイが暗躍していた事が分かった。そのスパイの名前は吉川猛夫。今回、彼に話を聞く事に成功した。

吉川さんは本当にスパイとして暗躍されたのでしょうか？

吉川猛夫

ああ、本当だよ。僕は日本海軍の軍人だったけど、諜報員としてハワイのホノルルにある日本領事館に派遣されたんだ。そこでは吉川猛夫ではなく、森村正という偽名を使っていた。

どのような諜報活動をされていたのでしょうか？

まずは遊び人というキャラクターを演じながら、ハワイにあった春潮楼という日本料亭に足しげく通う事から始めたんだ。

な、なぜ料亭に……？

なんとこの料亭の上階にある宴会場からは、アメリカの基地が一望出来たんだ。だから、連日のようにここに通い、アメリカ軍基地に入る艦船や空母の数を調べ上げ、日本に送っていた。

まさにスパイですね……。しかし、そこから見るだけで全て把握出来たのでしょうか？

当然、他にも多くを行ったよ！ 時には芸者を誘い観光客向けの遊覧飛行デートをしながら、アメリカ軍基地の上空から船の種類や現状の動きまで調べたり、領事館の女性スタッフが海に行くとなればついていき、軍基地の近くを遊覧する遊覧船で戦闘機の数まで把握していんだ。

おお！ イメージ通りのスパイ活動ですね！ そうしてアメリカの軍事力を調べていったんですね。

また、当時は機密情報であった天候情報の入手も必須だったから、アメリカに住む日系人の知り合いを伝い、天文学を独学で学ぶ人からも情報を得たんだ。

天候ではどのような情報を？

実際に日本に送った電文だけど「ハワイには30年暴風雨なし。オアフ島の北はいつも曇り南は晴れ、急降下爆撃が可能」という内容だよ。

更に情報を追っていくと、真珠湾に全艦艇が集まるのは第1・第3日曜日に集中し、朝と夕に頻繁に出港する事や、演習地の特定までしたんだ。こうした情報を受けた日本は、鹿児島にある桜島で攻撃の訓練を積み、ついに1941年に真珠湾を攻撃したんだ。あの攻撃は僕が電文で日本に送った最後の情報から6時間後の事だったよ。

アメリカの艦艇が集中している真珠湾に日本軍雷撃隊の集中攻撃が始まり、そして攻撃成功を意味する暗号「**トラ・トラ・トラ**」が送られ、攻撃は劇的な成功で終わったという事ですね。

そうだね。この真珠湾攻撃でアメリカの艦船8隻、航空機300機、2000人を超す被害を出した。

しかしその後、吉川さんはスパイ容疑で捕まったとお聞きしました。

うん。だけど、証拠不十分で釈放になったよ。諜報活動は去るまでが基本だからね。終戦後、**真珠湾でスパイ行為を行ったのは自分だけだとしてアメリカを驚かせた**よ。

なるほど。真珠湾攻撃の成功の裏には、吉川さんの情報という大きな暗躍があった事は間違いないですね！

20世紀後期①

核を持つアメリカとソ連の対立

自由主義と共産主義の戦い「冷戦」が幕を開けた！

第二次世界大戦終結後、世界は「西」と「東」に分断された。世に言う**冷戦**の始まりだ。互いに核兵器を保有している米ソが長年争ったこの戦争の背景には一体、何があったのか。そして、この冷戦の原因ともなっている共産主義と自由主義の違いとは……？ 今回は冷戦の火付け役とも言えるアメリカのハリー・トルーマン元大統領に話を聞いていこう。

まず、冷戦とはどのような戦いだったのでしょうか？

簡単に言えば、**アメリカを中心とした自由主義・資本主義陣営**と、**ソ連を中心とした社会主義・共産主義陣営**の戦いさ。

この２つの違いはなんなのですか？

非常に複雑なのだが、まず資本主義・自由主義というのは皆が自由にお金儲けをしていいし、個人の権利などを

不当に侵してはいけない、法律や憲法に従っていればどんな生き方をしてもいいという考え方だ。

社長

現在の日本も資本主義で自由主義ですね。

トルーマン

そうだね。しかし、この資本主義、自由主義には特徴があって、誰でもお金儲けをしていいのだから国の経済はどんどん成長していく。国が成長すれば国民は豊かになっていく。

社長

皆が競争していくのですから、いい循環ですね。

トルーマン

だけど、逆に考えれば競争に敗れた者やお金儲けをする知識が無い人など、「負ける」人達も出てくるんだ。そうなれば、勝った人と負けた人で貧富の差が生まれる。贅沢(ぜいたく)をしながら生きる人がいる一方、明日の生活も出来ない人が出てくる訳だ。

社長

なるほど、平等ではなくなる訳ですね。

トルーマン

そう。そこで登場してくるのが共産主義さ。共産主義は18世紀の産業革命で資本主義が進展し、格差や労働階級から脱却出来ない事が社会問題になった時代に誕生した考え方で、全ての財産の所有権を無くして、皆で共有しようという考えだ。

社長

理屈は合っている気もしますが、そんな事、可能なのでしょうか……？

不可能に近いな。平等の定義も曖昧だし、それを管理するのも難しい。そこで共産主義をゴールと考えて、そのゴールを目指す為に社会主義が生まれたんだ。社会主義は国が全てのお金を管理して国民に平等に分配するという体制だね。

というと、社会主義では、国から平等な給料を貰うという事ですか？

その通りだね。企業が得たお金も給料も国が管理し、分配するんだ。管理する社会主義の国と、儲けるのが自由な自由主義の国の戦いが冷戦という訳だ。

両者の考え方が違うから起きた争いなんですね。

特にドイツは戦後、国が東西に分断され、朝鮮も北と南に分断され北朝鮮と韓国に分かれた。ベトナムもベトナム戦争が終わるまでは北と南に分断されていた。冷戦を象徴する国々と言えるね。

そもそも冷戦はどうやって始まったのですか？

冷戦の始まりは諸説あるが、1947年に私が宣言した「**トルーマン＝ドクトリン**」だ。

それはどうういうものですか？

簡単に言えば、共産主義国を封じ込めようとするものだ。第二次世界大戦後、ソ連は急速に共産主義の仲間を増やそうとしていてね、その流れを止めようと、ギリシャ・トルコに多額の支援を行い、我々の味方に引き入れようとしたんだ。

ソ連の共産化の流れを断ち切りたかったのですね。

そう。更にその後、当時の国務長官ジョージ・マーシャルが「**マーシャル＝プラン**」を発表したんだ。これは戦争で疲弊した国にアメリカが支援を行う政策だ。

共産主義の国が増えないように味方を引き留める為ですか？

トルーマン

勿論、そうさ。そして、1948年に**ヨーロッパ経済協力機構（OECD）**を作り、支援してほしい国はこれに加盟するようにしたんだ。これに加盟したヨーロッパ16カ国のうち西側の国がアメリカの味方になり、東ヨーロッパの国々の多くは共産党の一党独裁体制だったからこれを拒否した。これが冷戦の始まりだね。

見事に西と東に分かれた争いに発展しましたね。

この状態のまま、日本やカナダを加え、冷戦は続いてき

たんだ。

しかし、冷戦とはいえ、この時代の核保有国の争いは人類にとって恐怖でしかないのですが……。

それはアメリカもソ連も理解していてね。だから、別国で戦争が起きた際には、両者の陣営にそれぞれが支援をして代理戦争を行ったり、どちらが経済的に優れているかを競い合ったり、文化的に優れている部分をアピールし合う、いわば技術競争が行われた。つまり、**アメリカとソ連が直接戦争にならないようにしていた**んだ。

また、ヨーロッパを分断しているから仮にアメリカとソ連の戦争になれば、そのままヨーロッパ全土を巻き込んだ第三次世界大戦になりかねない。だからギリギリのところで争っていたんだね。

アメリカとソ連という大国が、自分達の陣営を広げながら世界を分断していった冷戦。直接、戦火を交える事が無かった為、冷戦と呼ばれる訳だが、この中で実際にどのような事が起きたのか。次は**冷戦下の有名な事件**を調べていこうと思う。

冷戦の中で代理戦争が勃発！「朝鮮戦争」

冷戦が始まった1947年から、アメリカ率いる西側とソ連率いる東側に分かれた一触即発の睨み合いが始まった。その中でも、両者の争いの1つに**代理戦争**というものがあるらしい。そして、その戦争が、日本の隣国・韓国で行われていたという情報を得た。今回は、韓国側を支援した国連軍の指揮官ダグラス・マッカーサーに代理戦争について聞いていこうと思う。

社長

朝鮮半島で行われた戦争とは、そもそもどんな戦争だったのですか？

マッカーサー

第二次世界大戦が終わり、それまで日本の統治下だった朝鮮が独立したところから始まるんだ。朝鮮は地政学的に重要な場所にあってね、ここをソ連が握るか、アメリカが握るかでアジアでの影響力が大きく変わる場所なんだ。

マッカーサー

そして戦後、早速ソ連が朝鮮に軍隊を入れ始めると、慌てたアメリカは、朝鮮を２つに分けてそれぞれを自分達の陣営に入れる事をソ連に提案したんだ。

社長

ソ連は受け入れたんですか？

マッカーサー

さすがにソ連もアメリカも直接戦争はしたくないからな。そこで私が朝鮮半島に入り、南朝鮮を軍政下に置く布告を発表したんだ。こうして朝鮮は**北緯38度線を境に国が分断**された。

社長

大国の思惑で国が分断されてしまったのですね。

マッカーサー

ああ。そして、アメリカの支援を受けた李承晩（イスンマン）が1948

年8月15日に「**大韓民国**」を建国、ソ連も同年9月9日に金日成（キムイルソン）をトップにした「**朝鮮民主主義人民共和国**」を建国したんだ。

朝鮮が分断されて、韓国と北朝鮮が生まれたんですね。

まさにアメリカとソ連の対立の最前線の場所になったんだ。

それでなぜ朝鮮戦争に発展したのですか？

問題は翌1949年に**中華人民共和国**、つまり今の中国が誕生した事にある。これを見た北朝鮮の金日成は朝鮮も統一すべきと考え、1950年6月に突如、韓国に攻め込んだんだ。

なんという自分勝手な理由で……。

この時、韓国は戦争の準備が全く出来ておらず、北朝鮮の攻撃に次々と押され続けてしまう。そこで国連は韓国に国連軍の派遣を決定するのだが、国連軍が到着する前に韓国が壊滅する可能性があった為、急遽アメリカは韓国に近い国にいた軍隊を先に派遣したんだ。

どこの国の軍隊ですか？

日本だ。当時日本はGHQ（連合国軍最高司令官総司令部）

の統治下にあった為、日本には治安維持も含めてアメリカ軍がそのままいたのさ。因みに、この日本にいたアメリカ軍が出払った後、日本の治安を維持する為に「**警察予備隊**」というものが結成された。これが現在の自衛隊になっていくぞ。

自衛隊の起源がここにあったのですね。だけどこれで北朝鮮と戦えますね。

社長

マッカーサー

しかし、準備もほとんどしていなかったから、当初アメリカは敗北を続けてしまうんだ。特に「**大田**(テジョン)**の戦い**」では1個師団が壊滅するという事態まで起きた。

な!? 準備不足とはいえ世界最強のアメリカが?

社長

マッカーサー

そのまま北朝鮮軍に押され、アメリカ・韓国の軍は韓国の南端の釜山(プサン)まで追いつめられてしまうんだ。

どうするんですか?

社長

マッカーサー

しかし、ここで国連軍が到着したんだ。この国連軍と共に、ある作戦を実行した。それが**仁川**(インチョン)**上陸作戦**だ。南端まで追いつめていた北朝鮮軍の背後にある仁川から上陸し、そのまま北朝鮮軍を仁川と釜山で挟み撃ちにしたんだ。

ああ、映画(『オペレーション・クロマイト』)にもなって

社長

いましたね！

この作戦は上手くいき、形勢は逆転し、逆に国連軍は北朝鮮軍を中国との国境付近の鴨緑江（おうりょくこう）まで押し返したんだ。

今度は北朝鮮軍が消滅しかけてますね。

だけど、これに中国が義勇軍と称した軍隊を派遣し、北朝鮮側についたんだ。

え、なぜですか？

もし北朝鮮が敗れて朝鮮がアメリカに統治されてしまえば、中国との国境にアメリカ軍が来る事になるからね。中国としては北朝鮮で西側の影響力を止めたかったんだ。

なるほど、敵と隣接するのは嫌ですからね。

しかし、この中国軍が再び押し返し、現在の北緯38度線付近まで奪い返したんだ。

競り合いが続きますね。

私はそこで、中国軍を倒すまで戦争を続けるべきとアメリカの議会を説得したのだが、アメリカ議会はこれを暴

走と考え、私は1951年に議会によって解任されてしまったんだ。まぁ老兵は死なずただ去るのみって事だな。

ええ!? では、戦争はどうなるのですか？

結局、この後に大きく戦況は動かず、休戦交渉に入ると、アメリカでは1953年に**ドワイト・アイゼンハワー**大統領が誕生したり、ソ連のトップの**ヨシフ・スターリン**が死去したりと、米ソで政権が代わった事で、1953年に**板門店（パンムンジョム）で休戦協定が結ばれた**んだ。

休戦という事は……、今も戦争は続いていると？

その通りだ。だから韓国もアメリカも北朝鮮の動向は意識し続けているんだ。

しかし、朝鮮で起きた大きな戦争の背後にはアメリカとソ連の力があるとは……。

冷戦とはそういう戦いだからな、大国の思惑がぶつかれば大きな問題になるし、ぶつからなければ放置されるという訳さ。

冷戦の中の熱戦。大国の思惑の中で起きた民族の戦争。戦争はいつの時代だって嫌ではあるが、そんな国民の気持ちを顧みる事なく戦争は始まる。冷戦中、アメリカとソ連は直接的には戦っていないかもしれないが、水面下では多くの犠牲が生まれている。それを理解出来る大きな戦いが、朝鮮戦争だったようだ。

世界が崩壊寸前!?
核戦争の一歩手前「キューバ危機」

冷戦の間、多くの事件や戦争があった。しかし、それでもアメリカとソ連が直接、戦争を起こす事は無かった。仮に正面切ってぶつかり合って戦ってしまうと、核兵器を持っている大国同士の核戦争は不可避だったからだ。

そんな中、核戦争の一歩手前まで行った事件がある。それが「**キューバ危機**」と呼ばれるものだ。なぜアメリカとソ連が争う事になったのか？ 今回は、アメリカの元大統領であるジョン・F・ケネディに取材を行った。

キューバ危機とはどのような事件だったのでしょうか？

ソ連がアメリカのすぐ近くにあるキューバにミサイル基地を置いたんだ。その影響でアメリカとソ連が緊張状態になり、核戦争手前までに険悪になった事件さ。

キューバはアメリカの裏庭みたいな場所ですからね。なぜそんな所にソ連はミサイル基地を？

この時代、技術的にロシアのモスクワからアメリカまではミサイルを飛ばせなかったのさ。そこでソ連は同じ社会主義であったキューバと仲良くなり、そこに基地を置いた。ソ連からするとそれでアメリカより優位に立てる

と思ったんだろうね。

社長

なるほど。ではキューバにミサイル基地を発見した経緯をお願いします。

ケネディ

1962年の7月からキューバの港に頻繁にソ連の貨物船が来るようになった。アメリカとしては武器などが搬入されていないかを確認する為に「**U-2**」という偵察機を飛ばし、キューバを監視していたんだ。すると10月14日、サン・クリストバルに建造物が建てられていたんだ。この写真を解析すると、ソ連の**MRBM(準中距離弾道ミサイル)**の発射基地という事が分かった。

社長

アメリカのどこにでもミサイルを飛ばせてしまいますね。

ケネディ

アメリカに衝撃が走ったさ。そこから丸3日をかけて今後の対応を話し合ったんだ。基地への攻撃やキューバに侵攻する案まであった。

社長

しかし、そんな事をすればソ連は引けなくなり、第三次世界大戦まで行く恐れが出てきますね。

ケネディ

そうだ。だけど我々も引けなかったのさ。そこで、キューバ周辺の海域を封鎖し、ソ連の船がキューバに入れないようにしたんだ。

社長

ソ連は何も言わなかったのですか？

ケネディ

大いに反対したさ。アメリカの封鎖を無視してキューバに行くと発表したんだ。

社長

その結果どうなったのですか？

ケネディ

核兵器を搭載したアメリカの戦闘機と、核魚雷を搭載したソ連の潜水艦がカリブ海で睨み合いになったのさ。

社長

おぉ……、まさに核戦争手前ですね……。

ケネディ

さらに27日にはソ連の最高指導者**ニキータ・フルシチョフ**がアメリカに高圧的な書簡を送り、アメリカのU-2偵察機がキューバ上空で撃ち落とされる事件が発生、カリブ海でもソ連の潜水艦に爆雷を投下するという事件まで起きた。

ケネディ

アメリカとソ連の緊張が最大になったこの日は「**暗黒の土曜日**」とも呼ばれているんだ。

社長

もはや戦争回避は難しい状況じゃないですか！

ケネディ

あぁ、それでも核戦争は回避された。

社長

ど、どうやって……？

私はソ連のフルシチョフに書簡を送ったんだ。**キューバに基地やミサイルを置かないと約束すればアメリカは海上封鎖を解き、キューバを攻撃しない事を誓う**とね。

なるほど。妥協点を作ったのですね。

ソ連のフルシチョフはこの妥協案を了解し、キューバのミサイル基地を解体する旨を発表したんだ。

ギリギリのところで双方が折れたんですね。

ああ。やはりアメリカもソ連も核戦争は回避したかったんだ。そこはどんなに仲が悪くても意見は一致していたのさ。

この事件をきっかけにアメリカ、ソ連で変わった事はありますか？

当時は互いに連絡を取り合う手段を持っていなかったから、手紙のやり取りでの交渉しか出来なかったんだ。しかし、この事件をきっかけにソ連とアメリカで**ホットライン（直接電話で会談する線）**が作られたり、**デタント（緊張緩和）**を模索したりし始めたんだ。

なるほど。再び危機が起きないシステムを構築したのですね。危機が平和に繋がるなんとも皮肉な話ですね。

アメリカとソ連が宇宙でも戦争!? 宇宙開発競争

「**アルテミス計画**」というのを知っているだろうか。これはアメリカが目指す月面着陸計画の事だ。月に行き、持続的な活動を行ったり、月に人類の拠点を作る事を計画しているのだが、実は約半世紀前にもアメリカは月面に着陸を成功させている。時は冷戦まっただ中。今も昔も、この月面着陸には宇宙をめぐる各国の思惑が絡んでいるらしい。今回は、そんな冷戦期の宇宙開発の話を、初めて月面に降り立ったニール・アームストロング船長に聞いてみた。

社長

月面着陸について、各国の思惑が絡んでいると聞いたのですが……。

アームストロング

ああ、そうさ。そもそも冷戦期に行われた宇宙開発はソ連とアメリカの象徴とも言える争いの1つだ。

社長

宇宙に何があったのですか？

アームストロング

まず、初めて宇宙空間に物を打ち上げる事に成功した国はどこか知っているかな？

社長

やはり、ソ連かアメリカでしょうか？

アームストロング

残念だが、不正解だ。正解は**ドイツ**だ。第二次世界大戦の中で使われた「V-2」というロケットを使用した強力な兵器なのだが、この発射実験の3回目に人類で初めて宇宙空間にまでロケットを打ち上げる事に成功したんだ。

なるほど。つまりは戦争の兵器から始まったんですね。

そう。そして、戦争がドイツ敗北間近となると、アメリカとソ連はドイツの科学者やロケット技術を欲しがるようになった。

どちらもドイツの技術で強くなろうとしたのですね。

そこでアメリカは「**ペーパークリップ作戦**」として、多くドイツ人科学者をアメリカに移送し、研究を続けさせたんだ。

冷戦を睨んで、互いに軍事力の向上を目指したと。

しかし冷戦が始まると、アメリカもソ連も直接的な戦争を回避するようになってきたんだ。そんな中で生まれたのが宇宙開発という戦場だ。

な、なぜ、宇宙開発なのですか？

例えば、宇宙に相手より早く偵察衛星を飛ばせば相手の情報を手に入れる事が出来るし、ロケットと同じような技術の為、戦場で使うロケットいわゆるミサイルも作る事が出来る。相手国よりいいロケットを作る事は、相手

に対して軍事的優位に立っているというメッセージにもなるんだ。

なるほど。確かにロケット技術で上回れば、軍事力のアピールになりますね。

そして始まったのが宇宙開発競争だ。1957年にソ連がスプートニク1号という人工衛星を**初めて地球周回軌道に乗せる事に成功**した。アメリカはそれまで、自分達が世界で一番の宇宙開発国と思っていたから、これには衝撃を受けたんだ。これを「**スプートニク・ショック**」と言う。

まさかのソ連が一歩抜きん出たのですね。

最初どころか、この宇宙開発はほとんどソ連の方が上回っていたさ。アメリカが最後の一手を打つまではね。スプートニク・ショックによりアメリカも負けじと本腰を入れて宇宙開発を始めたんだ。そして1958年、**人工衛星エクスプローラー1号の打ち上げに成功**した。

アームストロング

追いつけ、追い越せですね。

しかしソ連は、アメリカが人工衛星の打ち上げに成功したのと同じ時期に、既に犬を乗せたロケットの打ち上げに成功している。少なくとも57回も犬を宇宙に送り、**そのほとんどを生還させる事に成功**していた。

犬にとってはかわいそうな話ですが、それでも生還させるのは凄いですね。

ああ。アメリカもアフリカからチンパンジーを輸入して打ち上げたりしていたんだが､1961年にソ連が再び一歩抜きん出た事件があった。

何があったのですか？

ソ連のボストーク1号に乗った**ユーリイ・ガガーリン**が、**人類で初めて宇宙空間に進出し、地球の軌道周回に成功した**んだ。

「人類初」をソ連に取られたんですね！

そう。これでアメリカの権威に大きく傷がつく事になった。そこで同年、アメリカのケネディ大統領は、こうしたソ連との技術差を埋める為にある宣言を出したんだ。「アメリカが1960年代中に月に人を到達させる」と。この瞬間から宇宙開発のゴールは**月面着陸**となったんだ。

争いとはいえ、とてもロマン溢れる競争になりましたね。

そこからアメリカは、全米から優秀なパイロットを集めて選抜し、宇宙飛行士を鍛え上げていったんだ。その中

の１人が私だ。こうして多くの訓練やロケットの設計をし、月に降りる為の「**アポロ計画**」は進んでいった。

ソ連のスピードに勝てるのですか？

ソ連も「**ルナ計画**」や「**ゾンド計画**」で無人探査機を月に送り込む事に成功していた。この時代になると、アメリカよりもソ連が宇宙では上という認識が広がっていたからね。アメリカのNASAは大焦りしていたさ。

しかし、1969年７月21日、アメリカはついに月面着陸作戦を決行。船長は私**ニール・アームストロング**、着陸船パイロットは**エドウィン・バズ・オルドリン**、司令船パイロットは**マイケル・コリンズ**。世界中で５億人がテレビ中継を見守る中、私達はサターンＶロケットで宇宙空間に旅立った。当時のコンピューターの性能は多機能なデジタル時計とほぼ同等の性能しか無かったから、ほとんど人力で計算していたんだ。

そしてついに**1969年７月20日４時17分39秒、着陸船アポロ11号は月面に降り立った**。

おぉ！ 人類の進化の瞬間ですね！

最後の最後に宇宙開発競争はアメリカの逆転勝利で終わったのさ。その後1970年代になると、米ソの間でデタントと言われる緊張緩和が起きた事で、次第に宇宙開

発競争の流れは薄れていったんだ。

宇宙にはロマンの他に多くの競争がなされているんですね。

それは君達の時代でも同じさ。宇宙という美しい領域を戦場にするのは心苦しいが、防衛や生活レベルの向上には欠かせない領域になってきているからね。今後も宇宙の開発は進んでいくだろう。

冷戦期における宇宙開発競争は、海から陸へ、陸から空へと進化してきた人類の新たなる宇宙への進化とも思える。人類の技術向上に大いに役に立ったきわめて異例な競争だったが、その裏にはロマンとは程遠い大国の鬼気迫る対立があった事は忘れてはならない。そんな冷戦はどんな終わりを迎えるのか調査を進めていこう。

たった1人の失言で起きた「ベルリンの壁」崩壊

ベルリンの壁を知っているだろうか？ かつてドイツのベルリンを東西に分断していた、冷戦の象徴とも言える壁だ。1989年に民衆が立ち上がり、この壁は崩壊した。それは冷戦の終結を予見させると同時に、平和を願う民衆の強い気持ちが起こした奇跡とも言えるかもしれない。……が、実はこの壁が崩壊するには、**ある1人の政治家の失言**がきっかけになったとも言われている。

今回は、そんな素晴らしい失言を発した東ドイツの政治家**ギュンター・シャボフスキー**に話を聞こう。

社長：まず、**ベルリンの壁**について教えてください。

シャボフスキー：ベルリンの壁は冷戦時代、東ドイツの首都ベルリンにあった西ベルリンを取り囲むように建てられた壁の事だ。

社長：東ドイツにあるベルリンですね。なぜここも東西に分かれていたのでしょうか？

シャボフスキー：ベルリンは東西分断前のドイツの首都だったからだ。冷戦中、アメリカ側の自由主義陣営が西ドイツを支援し、ソ連を中心とする社会主義陣営が東ドイツを支援していたんだ。

社長：冷戦の最前線ですね。

シャボフスキー：そこでアメリカ陣営が、ドイツを東西に分断するならベルリンも半分にすべきという事で、西側をアメリカ側、東側をソ連側の地域にしたんだ。

社長：ここに壁が建てられたのはどんな理由からですか？

シャボフスキー：東ドイツから西ドイツに行くには、国境の警備を突破しなくてはいけない。だが、ベルリンであれば、普通に買い物にも行けたのさ。それを利用して、東ベルリンから西ベルリンに移動し、そこから飛行機で西側の国に逃げる者が多かったんだ。そこで、**西ベルリンに移動出来な**

いよう壁が作られたんだ。

西側に行きたい市民を逃がさない為に作ったんですか!?

言い換えればそうなるが……、今の言葉は悪意があるぞ。

ああ、失礼しました。ではこの壁が崩壊した理由ですが……。

私の失言ばかり注目されるが、実は全ての始まりはハンガリーのせいだ。

同じ社会主義のハンガリーですか？

そうだ。1989年、ハンガリーは民主化の道を歩み出していて、隣国オーストリアとの柵を撤去していたんだ。

するとハンガリーからオーストリアに逃げる人が増えませんか？

それが目的なところもあって、ある時には東ドイツの人々をピクニックと宣伝して呼び出し、そのままオーストリアに逃がすなんて事もやっていたんだ。

なかなか大それた事までしますね、ハンガリーは！

我々からすればたまったもんじゃない、次々に東ベルリンや東ドイツの人が隣国に逃げてしまうんだから。

いや、いい国であれば逃げる人はそもそもいないんじゃ……。

……何か言ったか？　まあ、いい。このハンガリーの影響で、東ドイツの中でも民主化する動きが次第に強まっていったんだ。このままではいずれ暴動にまで発展しかねない。

何か手を打ったのですか？

勿論だ。我々は東ドイツに対してハンガリーに行けないように、東ドイツとチェコスロバキアとの国境を閉鎖したんだ。

ええ、そんな事したら火に油を注ぐだけでは……？

まさに、その通りになったんだ。東ドイツから、チェコスロバキア、ハンガリーと渡り、ハンガリーからオーストリアに亡命する道を断った訳だからな。おかげで、国内では大規模なデモが毎週起こるようになったんだ。

もはや民主化の道しか残っていないのでは……？

そんな事は許されるはずがない！　だから、初めはデモを

抑えつけていたんだが、時間と共にデモはどんどん大きくなっていく。

社長

民衆の力ですね。

シャボフスキー

あまりにもそれが大きくなり過ぎた為に、我々はまた新たな手を打ったんだ。

社長

何をしたのでしょうか？

シャボフスキー

旅行の法律の改正を行ったんだ。東ドイツ人は旅行に行ってもいいが、今まで通り役所に届けが必要な事などな。

社長

……元に戻っただけでは……？

シャボフスキー

いや、デモの鎮静化を図ったんだ。更に、旅行を自由にしたのも国内のテロを起こす反乱分子を国外に追放したかったんだ。

社長

なるほど。旅行と称して追放出来ますからね。

シャボフスキー

東西ドイツ間の移動も許可があれば可能になったんだ。

社長

国内で騒ぐ人間をとにかくどこかに追いやりたくなったのですね。

しかし、問題はここからだ。私はこの法律が話し合われた場所にはいなくて、記者会見の直前に資料を渡されたんだ。だからあまり目を通してなくてね。

どんな事を話したのですか？

旅行の規制を緩和して届け出さえあれば自由に旅行出来ると話したのだが、それに対する「**いつから発行されるか**」との記者の質問に、私は大きな勘違いをして答えてしまった。

……勘違い？

そう。この法律自体は翌日に「直ちに発行される」と書いてあったのだが、この直ちにを「**今すぐ**」と勘違いしてしまい、本来なら翌日から発行されるにもかかわらず記者に「**今すぐ、遅滞なく**」と答えた。

おおぅ、なんと……。確かに失言ですね。

これを聞いた東ドイツの人々はこれで西側に行けると確信して――。

一挙にベルリンの壁に人がやってきた……？

ああ、大正解だ。何も聞かされていないベルリンの壁の警備隊のもとに何万人もの民衆が押し寄せてきたんだ。

あぁ、もうこれ無理ですね……。

中には民衆が暴徒化しそうな検問所もあり、警備隊の独自判断で次々とゲートが開放されていったんだ。

もはやベルリンの壁の意味が無くなりましたね。

そう、もはや現場は大混乱だ。すると民衆の中の1人が突然ベルリンの壁をハンマーで叩き始めたんだ。

もはや無意味な壁ですからね。

それを見ていた周りの人間も真似て、ツルハシやスコップで壁を叩き始めた。

民主主義の我々からすると平和が叶った瞬間ですが……。

結局ベルリンの壁は撤去される事になり、翌年にドイツは再統一された。同年、ジョージ・ブッシュ(父)とミハイル・ゴルバチョフの米ソのトップで**マルタ会談**が行われ、冷戦自体が終わったんだ。

こうして冷戦の終結を表すような出来事になったんですね。そのきっかけの1つを作ったシャボフスキーさんは、当時を振り返ってどう思いますか?

今にして思えば、人間の力を壁1枚で止めようとした事が、そもそもの間違いだったのかもな。

多くの悲劇を生んだベルリンの壁だが、民衆の力は凄まじく、どんな壁すらも崩壊させてしまった。民衆の勝利に終わった訳だが、冷戦時代のアメリカとソ連のように、多くの分断があるのは今の世の中も同じ。かつてのベルリンの壁のように、民主的に1つになれる道は無いのだろうか。

20世紀後期②

第12章 迷走する中国と世界警察アメリカ

中華人民共和国の建国と毛沢東による「暗黒時代」の始まり

今の日本で、ニュースに多く取り上げられる国の1つが**中国**だ。共産党の一党独裁体制で国民に自由はあまり無く、軍事的にも経済的にもアメリカと肩を並べようと必死に国を強くしている。ひと昔前までは貧乏なイメージがあるが、近年は目覚ましい成長を遂げている。中国はこれからどうなろうとしているのか。今回は、中国で起きた大きな事件の中心人物の1人でノーベル平和賞を受賞した劉暁波(りゅうぎょうは)さんに話を聞いていこう。

社長：まずは、**中国**の簡単な歴史から教えてください。

劉暁波：そもそも中国は古くから沢山の王朝が現れては崩壊していくのを繰り返してきたんだ。だから、今の「**中華人民共和国**」が出来たのは第二次世界大戦が終わってからの**1949年**。建国者である毛沢東(もうたくとう)の宣言によって誕生したんだ。

社長：意外と最近出来たんですね。

第二次世界大戦までは「**中華民国**」という名前で**蒋介石**という人物がトップだったんだけど、第二次世界大戦終結後、国内で毛沢東率いる**共産党**と蒋介石の**国民党**に分かれて内戦が起きた。この戦いに敗れた蒋介石の国民党は台湾に逃げ、中華民国を継続させ、ここが本物の中国と宣言。勝ち残った毛沢東は今の中華人民共和国、いわゆる今の中国を作り、ここが本物の中国と宣言したんだ。

つまり、この時代の中国は、名前は違えど2つあったという事ですか？

そうだね。そして、それは中華人民共和国からすると、今も変わってないんだ。だから「台湾は中国の一部」だと主張しているんだ。これを「**1つの中国**」と言うよ。

現在の台湾問題はここに始まりがあったんですね。その後の中国はどう進んでいきましたか？

その後は毛沢東をトップにした社会主義の国が誕生して、多くの政策を行ったんだ。それが「**百花斉放（ひゃっかせいほう）・百家争鳴（ひゃっかそうめい）**」や**大躍進政策**だ。

難しそうな言葉ですね。

まず百花斉放・百家争鳴は、**自由に議論してこれからの中国をより豊かにしていこうと皆で議論や討論をする機**

会が設けられたんだ。

共産党も共産党に意見を述べる機会を設けたんだけど、あまりにも多くの批判が来た事で、批判した人間を弾圧したりした事もあったんだ。

自由に議論する事で共産党に都合の悪い結果になってしまったんですね。では大躍進政策は？

大躍進政策は、**国民みんなで農業や工業を行い、中国を大躍進させようというもの**だ。

いい政策ですね！

聞こえはいいかもしれないが、しかし実際は、専門家でもない人間が毛沢東によって任命されて仕事を指導した為、大失敗したんだ。更に工業でも、農村や農民に鉄を作るノウハウや工場なんかほとんど無かったから、みんな農場に土で作った土法高炉を置いて鉄を作ったんだ。

素人で分からないのですが、そんなのでまともな鉄は出来るのですか？

当然無理だね。質の悪い鉄ばかりが生まれてしまい全く売り物にならず、これも大失敗したんだ。

また、この時期に「**人民公社**」という組織が作られた。

簡単に言えば、みんなが平等になる為に同じ生活、同じ勉強、同じ思想、同じ仕事をさせようと作られた組織なんだけど——。

……これも失敗を？

うん。結局働いても働かなくても同じ生活が出来るんだから、意欲は無くなるし、効率も落ちるよね。

確かにサボっても同じならそうなりますね。いや、そんな事して、毛沢東の信用は失墜したりしなかったんですか？

当然、共産党の中での権威は弱まったさ。結局、責任を取る為に国のトップを一時期辞めたよ。

さすがに、ここまでやるとそうなりますね。

だけど、毛沢東は諦めてなくてね。1966年に再び国のトップになる事を模索し、**文化大革命**を行ったんだ。

文化大革命……？

そう。簡単に言えば、毛沢東が「今の中国は行き詰まっている。だから革命して新しい中国に作り直そう！」と突然言い出したんだ。

しかし、革命をしろと言われても、何をすればいいのですか？

それは中国の人達も同じで、何をすればいいか分からなかった。そこである学生が、テストの答えを書かず白紙で出すという案を思いついたんだ。

白紙の答案？

学校で勉強してその結果を比べるのは真の平等とは言えないという論理だね。これを皮切りに、多くの学生がテストで白紙を提出し始めたんだ。更に矛先が教師に向き、「教師は反革命勢力」として教師を暴行し謝罪させるという動きが始まった。

ええ、暴力じゃないですか！

更に問題は大きくなり、中高生を中心に**紅衛兵**（こうえいへい）というのが組織され、中国にいた知識人や大人も反革命勢力だとして首からプラカードをさげて謝罪させたり見せしめにしたり、中には殺される者もいた。

警察は止めなかったのですか？

毛沢東からすれば、このまま中国のトップを反革命勢力として引きずり下ろせば、再び自分がトップになれるチャンスだった。だから、紅衛兵のやる事は正しいから

警察は動いてはいけないという命令まで出していたよ。

そんなのがまかり通るんですか!?

警察も下手に動くと反革命勢力になっちゃうからね。見て見ぬふりをするしかなかったんだ。

この後はどうなったのですか？

最後は紅衛兵の中で分断が起きて、殺し合いにまで発展したんだけど、文化大革命は結局、毛沢東が死ぬまで10年間も続いた。この毛沢東の行った大躍進政策から文化大革命までの犠牲者は数千万人にものぼると言われているよ。

戦争よりはるかに多くの人が死んでしまっていますね……。しかし、ここまで見ると、中国が現在のように台頭する気配が見えないですね。

そうだね。毛沢東の死後からボロボロになった中国を立て直す事になっていくんだけど、まずは中国がどのくらいヤバいところから始まったのかを知ってほしいんだ。次は今の中国に繋がる話を見ていこう。

中国の国内の情報はあまり表に出る事はないが、この時代の中国は間違いなく暗黒時代であった。しかし、時代と共に変化していった中国では、更なる闇と、そして野望があるという。もう少し、話を聞く事にしよう。

経済発展に向けた中国の本気「改革開放と天安門事件」

前回は、中華人民共和国の成り立ちと毛沢東による中国の大混乱を見てきた。お世辞にもいいとは言えない政策ばかりが目についたが、中国はここから変化を見せてきた。どのように周りの国に影響を受け、そして発展の土台を作る事に成功したのか。引き続き、劉暁波さんから聞いていこうと思う。

中国の建国あたりの混乱は前回の話から分かりましたが、**中国の発展**はどのようにして起こったのでしょうか？

社長

劉暁波

毛沢東の行った政策は本当に国をボロボロにしてしまったよ。だから中国は、早急に方向転換をしないといけなくなった。次にトップになった華国鋒（かこくほう）が文化大革命を終了させると、その後にトップになった鄧小平（とうしょうへい）は中国の経済政策に動いたんだ。

何をしたのですか？

社長

劉暁波

改革開放という政策だ。これは「共産党の一党独裁体制は継続するけど市場経済いわゆる資本主義を中国にも導入する」というものだ。

……少し矛盾していませんか？

社長

そうだね。そもそも資本主義を否定する為に生まれたのが共産主義や社会主義だ。にもかかわらず資本主義を導入し、好きに商売やビジネスを行ってもいい事になった。

混乱が起きるだけのような……。

確かに今まで社会主義だったところから急に方向転換するのは難しいよね。だから鄧小平は**経済特区**を作ったんだ。

経済特区？

中国の**深圳**（しんせん）、**珠海**（しゅかい）、**汕頭**（せんとう）、**廈門**（アモイ）といった、資本主義を導入した地域の事だよ。それぞれ、海外との交流が盛んだったり、1997年までイギリスが統治していて資本主義だった香港の近くなどの地域だ。簡単に言えば、資本主義を導入しても問題無さそうな所から資本主義を入れていった訳だね。

それでも思い切った政策ですね。

鄧小平はこういった言葉を残しているんだ。「黒い猫も白い猫もネズミを捕るのはいい猫だ」。つまり、**結果が上手くいけばある程度は混乱してもいい**という考えだね。

それだけ追い込まれていたって訳ですね。

だけど、この政策は上手くいった。国内で自由にビジネスを始めるだけでなく、外国からの技術やノウハウも中国にもたらされるようになったんだ。これこそが、中国が台頭し始めた第一歩になる。

なるほど。つまり、外国の力を取り込んだ事で強くなっていったと。

そうだね。だけど、同時に大きな混乱をもたらす事にもなるんだ。

……と言いますと？

自由化を取り入れたという事は、当然、ほかも自由主義にするべきだという声が上がってきた。

経済だけではなく、本当の自由を求めたと。

当時、ソ連の社会主義が失敗し、ソ連の**ゴルバチョフ**も自由化を進め始めていた事もあり、中国でも自由化を求める声が高まったんだ。中でも、**胡耀邦**（こようほう）という政治家が、中国にも言論の自由をと言い始めたんだ。

そんな事を言う政治家がいたのですね。いい傾向じゃないですか！

劉暁波

だけど、共産党の多くの政治家が「民主化なんて認めない！」と反対し、その圧力を受け胡耀邦は党内で失脚してしまった。無念の中、心筋梗塞で亡くなってしまったんだ。

劉暁波

この死をきっかけに、中国の学生達が民主化を訴えて**天安門**の前の広場に集まり、デモを始めた。さらに同じ時期、ソ連で自由化を進めていたゴルバチョフが訪中する事もあり、このデモ活動は連日100万人を超えるまでになった。

社長

どんどん大きくなっていきますね。

劉暁波

だけど、これが鄧小平の逆鱗(げきりん)に触れたんだ。1989年6月4日、鄧小平は天安門広場に集まる学生を「反革命暴乱」として、軍を派遣し、一掃を試みた。

社長

どれだけ自由化を嫌がったか分かりますね。

劉暁波

そう。この時、僕は学生に武器を捨てるように説得し、軍側にも逃げ道を作るように説得したんだ。だけど、両者は次第にエスカレートしていき、とうとう軍がデモ隊に向けて無差別に発砲を行った。

社長

自国民を無差別銃撃したんですか!?

劉暁波

そう。この銃撃で少なくとも数千人から1万人が死んだと言われている。これが**六四天安門事件**だ。

社長

こんな恐ろしい事が比較的最近に起こっていたんですね。

劉暁波

中国での自由化は決して認めないという共産党の考えが具現化した形になったんだね。こうして国民の声を封殺すると、江沢民の時代に改革開放を進め、1992年に**社会主義市場経済**を導入したんだ。

社長

国民に自由は無いけど経済は自由にする。共産党にとってはいいとこ取りですね。

劉暁波

そうだね。だけどこれが中国を大きくさせる要因になったんだ。中国はとにかく輸出を多く行い、外国に沢山物を買ってもらい、外国の会社も中国に沢山取り込み、技術を手に入れた。そして、中国のもともとの武器である人口の多さを使い、低コストの労働力をフル動員して経済を盛り上げたんだ。

社長

その経済力が今の中国を作り上げたんですね。

劉暁波

だけど、時代と共に頭打ちになっているし、格差問題はまだまだ是正していない。更に、これから中国は超高齢化社会を迎えようとしている。また、コロナ政策で感染者が1人でもいれば町ごと封鎖するという荒技までやっているんだ。こうした抑圧された生活に再び国民は自由を求め始めている。これから中国がどう変わるのか見物だね。

中国が発展してきた背景には、数々の混乱とそれをいかなる手段を用いても封殺してきた過去があった。そして、発展した経済を武器に、再び世界に挑戦しようとしている。

それでは、現在の経済大国アメリカとの関係はどうなっていくのだろうか？ まずは冷戦終結後のアメリカの動きを見てみよう。

ゲーム感覚の戦争!?
湾岸戦争とアメリカの一極体制

1990年に起きた**湾岸戦争**というものがある。当時は冷戦の終結やソ連の崩壊後間もなくの為、新たなる時代の戦争とも言われた。この戦争は、イラクと、国連決議に基づきアメリカを中心に西ヨーロッパや中東の国30カ国の多国籍軍との戦いで、これを契機にアメリカは世界の中心になった。一方、当時の人々は「**ゲームのようなものだった**」とも語っている。どういう事だろうか？ 今回は、そんな謎多き湾岸戦争を、本作戦の指揮を行ったアメリカ軍のノーマン・シュワルツコフに話を聞いていこう。

湾岸戦争はなぜ起こったのでしょうか？

社長

シュワルツコフ

そもそも戦争になる前、クウェートが原油増産を行い石油の価格が下がったんだ。クウェート等に多額の負債を抱えそれを石油の収入で返済していたイラクはその負債を返す事が難しくなり、これを武力で帳消しにし、更に石油まで手に入れようと武力侵攻を決意。これが**クウェート侵攻**に繋がったんだ。

社長

とんでもない理由で起こしましたね。

シュワルツコフ

これに対抗する為に、国連の安全保障理事会はイラクに対して撤退勧告を出したのだが、**サダム・フセイン**はこれを無視し、クウェートを自分達の国の一部にすると宣言したんだ。これに対し、国連安全保障理事会は武力行使を決定。28カ国からなる多国籍軍を編制してイラクと戦ったのが湾岸戦争だ。

社長

28カ国とは、**イラクvs.世界**みたいなものですね。この戦争はどういう流れで進んでいったのですか？

シュワルツコフ

イラク攻撃では、まず大規模な空爆やミサイル攻撃が行われた。これは「**砂漠の嵐作戦**」と呼ばれるもので、クウェートにいるイラク軍を攻撃するのではなく、イラクを直接叩く攻撃を行った。

社長

なるほど。クウェートに集中していてイラクの防衛が疎かになったところを叩いたのですね。

シュワルツコフ

そう。砂漠の嵐作戦という1カ月以上の空爆で、イラクの軍事施設はほとんど破壊出来たんだ。そして、ここから兵士や戦車で地上から攻撃する「**砂漠の剣作戦**」が始まった。

大規模な戦闘が行われたのですか？

激戦になった場所もあるのだが、地上作戦は開始から**100時間**でイラクはクウェートから撤退したんだ。

えっ、100時間で終わったのですか!?

あぁ、その後、停戦協定が結ばれ、湾岸戦争は終わったのさ。

恐るべき多国籍軍というかアメリカ軍ですね。しかし、この戦争が「**ゲームのようだった**」という話を聞いたのですが……。

それはこの戦争で使われた兵器の影響だな。

兵器？

この戦争では多くの新兵器が使われたんだ。**ステルス戦闘機**、**巡航ミサイル**、**レーザー誘導弾**などの攻撃兵器だ。現在のスマホにも搭載している**GPS**や、**ドローンの先駆け**のようなものもこの戦争から使われた。

現代では当たり前ですが、この戦争でもだいぶ進化した兵器を使っていたのですね。

シュワルツコフ

そう。そうした兵器には**カメラが搭載**され、発射してからイラクの兵器や軍事施設が破壊されるまでの映像を記録出来たんだ。それが世界中のニュースで流れた。

社長

お茶の間にリアルな戦争が流れたのですね。

シュワルツコフ

そうだ。その映像がさながらゲームをしているような感覚を生み出した為、湾岸戦争は実はこう呼ばれているんだ。「**任天堂戦争（ゲーム戦争）**」とね。

社長

身近になった事でゲーム感覚に見えてしまったのですね。

シュワルツコフ

それもあるのだが、実はこの戦争では慰安目的に大量の**ゲームボーイ**が支給されてね。兵士が皆でテトリスを遊んでいた映像も多く流れた事も関係しているのかもしれない。いずれにせよ、それまでは見えなかった戦争を映像で見られるようになった訳だ。

社長

戦争がゲーム感覚になってしまうのは恐ろしいですね。

シュワルツコフ

アメリカの力が強大になり過ぎた事で、戦争の形態そのものが変わる時代になっていく。そして、この戦争にはもう1つの大きな側面があるんだ。

社長

……と言いますと？

この戦争でアメリカは、その強さと未来的な技術を世界中に知らしめた。最大のライバルだったソ連ももはや崩壊寸前の時代だった事もあり、**かつてのソ連の味方だった国もアメリカに鞍替え（くらが）をしていくようになった**んだ。

強い方についたと？

ああ。だからここから**アメリカ一極体制**といって、世界はアメリカによって平和になるという考えが広まったんだ。そのおかげでアメリカの権威はどんどんと高まっていった。

今でも最強というイメージはあります。

その力でソ連崩壊後には民主主義と自由を守る「**世界の警察**」とまで言われ、アメリカの一強時代を迎えたんだ。世界をアメリカが監視し正義を執行する、まさにアメリカの時代さ。

しかし、それはアメリカが考える正義なだけでは？

そういう見方もあるかもしれないが、実際にアメリカが強いおかげで守られているものもある。だが、こうした考えにもアメリカに不都合な事もあるのさ。

不都合な事？

アメリカが「世界の警察」になるなら、アメリカに関係ない問題にまで介入しなくてはいけない訳だからな。こうした問題がアメリカ国内で混乱を生んでしまう事になっていくし、世界の問題をアメリカ1国で全て解決するのはさすがに無理な話さ。

時代と共に影響力が下がってくると？

特に2000年代になると多くの問題がアメリカで沸き起こり、そんな手一杯の隙をついてアメリカにチャレンジし始める国も現れる事になった。

いい面も悪い面も両方あるんですね。

ゲームのように錯覚した近未来の湾岸戦争だが、その裏にはゲームとは思えないアメリカの栄光と混乱の始まりがあった。世界の警察を買って出たのはいい事かもしれないが、それは「**アメリカが正義、アメリカに歯向かうものは悪**」という二項対立の思想に繋がっていく。ともあれ、湾岸戦争はまさにアメリカ一強時代を作り上げた戦争だった。

21世紀初期

目覚ましい中国の台頭と「新冷戦」

アフリカ・中東で独裁者が次々倒れる!?「アラブの春」

2010年からおよそ2年間にわたって行われた世界を巻き込んだ大きな出来事に、「**アラブの春**」というものがある。アフリカや中東にいた多くの独裁者が次々と倒された事件だ。果たしてこの2年間にどんな出来事があったのか。そして、それが今日の世界にどう影響しているのか。アラブの春の運動に参加した人物から話を聞く事が出来た。

アラブの春について話を聞きたいのですが。

ああ、**アフリカのチュニジアで起きたデモがアラブ諸国に波及していった民主化運動**の事だね。現在のシリア内戦などの大きな問題にも繋がった出来事だよ。

デモが波及とは、どういう事でしょうか?

説明しましょう。事の発端は2010年、チュニジアで起きた事件だ。**モハメド・ブアジジ**という人物が露店で野菜や果物を販売していたところ、警察の許可が無いとし

て商品や売上金を没収されてしまったんだ。ここで賄賂を渡せば見逃されたのだけど、病気の親や、幼い兄弟達の為に賄賂を拒否した事で警察の気を損ねてしまったんだ。

警察が賄賂を要求するとは……。

そこでブアジジはこれに抗議する為に何度も警察にかけあうも、全て追い返されてしまった。そこで彼は絶望してしまったんだ。

絶望とはどういう事ですか？

彼は命を懸けた抗議として、役所の前でガソリンを被り、**焼身自殺**をしたんだ。

ええ！ なんという抗議の仕方……。

ブアジジの死が全国に広まると、彼を追い込んだ警察や見放した役所、さらにはチュニジアの大統領ベン・アリにまで批判が飛んだんだ。

抗議デモが拡大したんですね。

うん。チュニジアは経済的に弱く、失業率も高かった。加えてベン・アリ大統領の独裁的な政治……、色んな事に国民の不満が高くてね。それがブアジジの死を引き金

に一気に噴出したんだ。

このデモはどうなったのですか？

日に日に大きくなるデモにベン・アリ大統領は警察等で鎮圧をしようとしたのだけど、この流れは止められず、自分の命が危ないと思ったベン・アリはサウジアラビアに亡命したんだ。その結果、23年間もの独裁体制を敷いていたベン・アリ政権は崩壊、チュニジアは自由が認められた民主化に進んでいった。これをチュニジアの代表的な花から「**ジャスミン革命**」と呼んでいるよ。

おお、国民の力が国を変えてしまったんですね。

だけど話はこれだけでは終わらないんだ。チュニジアが民主化に成功した事が広まると、チュニジアの周辺国にも「独裁政権を倒せ！」という流れが波及していってね。

デモがデモを呼んで伝播(でんぱ)していったと？

参加者

うん。そのおかげでお隣の国リビアでは内戦にまで発展し、国連から多国籍軍が派遣されるまでに至り、42年間にも及ぶ独裁体制だった**カダフィ**政権が崩壊した。

デモの域を超え始めていますね。

またリビアの隣国エジプトでも全国でデモが起きて、30

年も独裁体制だった**ムバラク**政権が国軍最高会議に権限を委譲した事で崩壊。イエメンでも大規模デモにより30年以上も独裁体制だった**サーレハ**大統領が大統領選に出馬しない事を宣言し、政権が崩壊したんだ。

独裁体制が次々と打倒される流れが生まれていますね。

ほかにもサウジアラビア、ヨルダン、レバノン、イラク、クウェート、バーレーン、オマーンでは政府が国民の要求に応えたり、憲法を民主的に変えたりと国の体制が変わる事があったんだ。

民衆の力で国を修正するのはいい事ですね。

うん。だけど、民主化していくアラブの春は明るい話だけではないんだ。

どういう事ですか？

当然デモ隊と政府側の衝突が繰り返された事で多くの死者が出ているし、シリアでは**アサド**大統領がデモを力で鎮圧しようとした為に国民も立ち上がり、シリア内戦が勃発したんだ。この内戦にはシリアだけでなく、アサド政権と戦う側にアメリカやトルコ、サウジアラビアなどが味方になり、逆にアサド政権にはロシア、イランが味方となり代理戦争にまで発展。現在まで戦争が長期化し

ている。

国によっては混乱してしまった所もあるんですね。

それだけじゃなく、やっと独裁政権を倒して自由になれても、どうしていいか分からず結局より強い独裁政権が生まれた国があったり、内戦の混乱の際にイスラムの過激組織が生まれ、数百万の難民が出たりしたんだ。

まさに現代の問題が出てきたんですね。

そう。こうした負の部分をアラブの春とは逆に「**アラブの冬**」と呼んでいるんだ。そしてこの問題は現在もずっと続いている。

結局、アラブの春は失敗だったのですか？

いや**アラブの春の流れはまだ終わっていない**んだ。2018年あたりから再び反政府デモが活発になってきて、スーダンやアルジェリアで長年トップだった大統領が辞任したり、レバノンやイラク、イランでも大規模なデモが起き始めたんだ。

なるほど。アラブの春はまだゴールには至っていないんですね。

こうした流れは今後もどんどん大きくなっていくと思

う。これからのアラブ諸国にも注目だね。

ロシアによるウクライナ侵攻はなぜ起こったのか

2022年2月24日、**ロシアは突如としてウクライナに侵攻**を行った。国連安全保障理事会の常任理事国の1国であるロシアがなぜこのような蛮行に及んだのか。それは未だウラジミール・プーチン大統領にしか分からないかもしれないが、いくつか理由が考えられる。今回は、アメリカの元国務長官ジェイムズ・ベイカーに話を聞いてみよう。

ロシアの侵攻の背景には一体何があるのでしょうか？

今のところ、プーチン大統領にしか理由は分からないんだがね、ただロシアがウクライナを侵略する理由はいくつか想像する事は出来る。

例えばどういう事がありますか？

1つは、**歴史的な背景**さ。ロシアはかつて、17世紀のロシア皇帝ピョートル1世やエカチェリーナ2世の頃に領土を大きく広げた国だ。

つまり、その頃の領土を取り返そうと？

そう考えてる可能性は大いにあるな。そして、もう1つがかなり現実的なのだが、**NATO（北大西洋条約機構）が近づいてくるのを非常に怖がった**という点だ。

NATOが怖いとは？

NATOは冷戦中の1949年、ソ連の侵攻をNATO加盟国で防ぐ目的で作られた軍事同盟だ。

ソ連は強いからみんなで守ろうという組織ですね。

ベイカー

これに負けじと、ソ連も**ワルシャワ条約機構（WTO）**という組織を作った。冷戦はこの2つの組織の争いという面があったんだ。しかし、1989年にベルリンの壁が崩壊し、ソ連の崩壊も秒読みになった1990年、アメリカの国務長官だった私とソ連のトップのゴルバチョフとで会談を行った際にこんな話が出た。それが「**1インチ問題**」だな。

1インチ問題？

そう。ソ連の弱体化でNATOに攻め込まれると考えていたゴルバチョフに対して、**これからNATOは1インチもソ連に近づかない**という内容だ。

ですが、ソ連崩壊後もNATOは解体せずに1インチどころかどんどんでかくなり、ロシアに近づいていますよね？

そうだ。1999年にはワルシャワ条約機構加盟国だった

チェコ、ハンガリー、ポーランドの加盟を認めた。更に、2004年にはバルト三国や周辺諸国、2020年には北マケドニアを加え、現在は**30カ国**にまで増えたんだ。

社長

どんどんロシアに近づいていますね。

ベイカー

そうだ。「NATOは冷戦が終わってもロシアを攻めてくるつもりなんだ、やはり欧米は嘘つきだ」と映った可能性がある。

社長

現代でもNATOが怖いという思いがあるんですね。ですが、そこからなぜウクライナを？

ベイカー

ロシアの隣国だったからさ。もし隣国のウクライナという大きな国がNATOに入ってしまい、そこに基地でも置かれたら、ロシアにとってはこれ以上ない脅威なんだ。

社長

だから先にウクライナを侵略し、そこをロシアのものにしておきたかったと？

ベイカー

ウクライナを攻める大きな理由になっている事は間違いないはずだ。実はその兆候は2014年から既に起きている。

2014年？

ベイカー

ああ。この年にウクライナで**ヤヌコーヴィチ**大統領が誕生した。もともとウクライナはヨーロッパの国々と仲良かったのだが、経済不況からヤヌコーヴィチはロシアに接近し、関係を深めようとした。

これにウクライナの国民が怒り、反政府デモが起き、ヤヌコーヴィチはロシアに亡命するという事態が起きた。これを「**マイダン革命**」と言う。

大統領を引きずり降ろしたんですか？

そうだ。今度はこれにロシアがクーデターだと言い始めると、ウクライナで親ロシア派が多く住む東部の人々が武装蜂起し始め、ウクライナの**クリミア半島南部**をロシア軍と同じ装備を持つ武装勢力が実効支配したんだ。

ウクライナはどう対応しましたか？

当然これを抑えようと軍隊が戦ったさ。そして、そのまま2022年になると、ロシアはとうとう軍隊を動かして東部の人々と南部クリミアを救うとして武力介入を行った。

つまり、この戦争は2014年から続いているという事ですか!?

そういう事だ。やはりロシアの隣国であり、ヨーロッパとの壁になっているウクライナを自分達のものにしてお

きたかったのだろう。

しかし、隣国なら既にバルト三国やノルウェー、ほかにもベラルーシやフィンランドなどもありますよね。

バルト三国やノルウェーは既にNATOに加盟しているから手出しは出来ない。ベラルーシはロシアと非常に仲のいい国だ。フィンランドは今までロシアの脅しにより中立を保ってきた国なんだ。

つまり、ウクライナが最後の弱点部分だったと？

そうだ。だからNATOに加盟する前にロシアのものにしておきたかったのだろう。

しかし、戦争が長期化していく中でフィンランドやスウェーデンがNATOに入る事になりましたが、これではマイナスでは？

そうだな。おそらくロシアからすれば非常に驚いただろう。今のロシアにはウクライナとの戦争でほかに軍隊を送って戦う余裕は無いからな。その間を狙ったのだろう。

侵略した事で逆に国が脆弱(ぜいじゃく)になった。当たり前と言えば当たり前ですが、ロシアにとっては大きなマイナスになった戦争ですね。

21世紀にもなって国連安保理の常任理事国である国が武力を使って自分の言う事を他国に聞かせようなんて、おこがましいって訳だな。

ロシアの侵略の背景には何があるか――繰り返しになるがプーチンの頭の中にしか答えは無い。だが、過去の歴史を紐解いていくと次第に見えてくる事があった。他国を恐れるあまりに先に手を出すという発想は、現代では大きな間違いである事に疑いの余地はない。

世界経済を混乱させた「リーマン・ショック」の余波

2008年9月15日、世界を巻き込んだ金融危機が起こった。その名も「**リーマン・ショック**」という事件だ。アメリカのある証券会社が経営破綻した事で世界中に影響を及ぼし、世界経済を大混乱に陥れた。一体どんな事が起きていたのか。今回は、リーマン・ブラザーズの創業者ヘンリー・リーマンに詳しく聞いていこうと思う。

リーマンさんの会社**リーマン・ブラザーズ**が2008年に経営破綻しましたが、そもそもどういう会社だったのでしょうか？

もともと私はドイツからアメリカに移住し、３兄弟でリーマン・ブラザーズという**木綿を扱う会社**を経営していたのだが、この会社が金融業界にも進み、そこでも成功しアメリカでは**大手の証券会社**に成長したんだ。それが経営破綻とは、なんと嘆かわしい。

そこまで大きな会社が破綻するとは一体何があったのでしょうか？

リーマン

まず一番大きな問題は、**サブプライムローン問題**だ。

社長

サブプライムローン問題？

リーマン

少し難しいので分かりやすく見ていくと、まず5000万円の家を買うとしよう。5000万円持っている人はそのままキャッシュで買えるかもしれないが、持っていない人は一生家を買えないかというと、そうではないだろう？君ならどうする？

社長

銀行などからお金を借りてきますかね？

リーマン

そう。借金をして毎月少しずつ金利をつけて返済しながら家を買う訳だ。これをローンと呼ぶ。さて、サブプライムローン問題も同じローンだったのだが、少し中身が違っていた。

社長

どう違っていたのですか？

リーマン

一般的なローンは返済能力、つまりある程度給料が高い人しかお金を借りられないのだが、サブプライムローンは**普通より金利が高いが給料の低い人でもお金を貸してくれるローン**だった。

給料が低いのに金利は高くなるんですか？

リーマン

ああ。例えば10人に高い金利でお金を貸せば、そのうち2人が返せなくなってもほかの8人が返済出来れば損をしないようなシステムだったんだ。

社長

なるほど。全員がきっちり返せない事も想定していたんですね。

リーマン

更にサブプライムローンには特徴があり、仮にお金を返せなくなっても、買った家を手放せば5000万円の借金がチャラになる。本来なら家をローンで買ったら家を手放しても全ての借金を返さないといけないが、これにはそれが無かった。

社長

いいシステムですね。返せなくなったらアパートなりなんなりに引っ越せば借金が無くなる訳ですから。

リーマン

ああ。だが、お金を貸している方は、たとえ高い金利で損しないようになっていても、10人のうち8人が返せない状況になれば損をしてしまうだろう？

社長

確かに、返せない人が多くいない事が前提ですね。

リーマン

そう。そこでお金を貸している会社は、借金を返してもらう権利を銀行に売る事にしたんだ。この借金を返してもらう権利を**債権**と言うぞ。

つまり、債権を持つ人にお金を返すという事なんですね。

ああ。本来ローンは長い時間をかけて借金が返済されるから、債権を銀行などに買ってもらえば貸している会社にはすぐに銀行からお金が入る。もともとお金がある銀行は長い時間をかけて返済されるお金で更に儲かる。ローンを組んだ人は金利は高いが最悪、家を手放せばいい。

これだけ見るといい事だらけですね。

そうだ。実際にアメリカでこのシステムが広がった事で、2007年までに、皆が家を持とうとする**住宅バブル**が起こったんだ。

給料が低くても家を持てますからね。

だが、結局のところ、皆が儲かる事なんてそうそう無い。今度は債権を買った銀行が、借金が返済されなかったらどうしようと考えるようになる。そこで、この債権を再び売ろうとしたんだ。

借金の権利がたらい回しにされていますね。今度はどこに売るんですか？

リーマン

色んな会社や個人にまで売ったのさ。借金を返してもらう債権を、今度は**証券**として誰でも買えるものにして販売したのさ。

社長

そんなものが売れるんですか？

リーマン

ああ。銀行にお金を預けているよりも証券を買った方が、返済されなくなるリスクはあるが利子が高くなるから、お金を持つ会社なんかは皆買ったのさ。

社長

まぁ、銀行に預けていても利子なんて微々たるものですからね。

リーマン

こうした流れでアメリカの住宅バブルは大きくなっていったのだが、バブルはいずれ弾ける。住宅が欲しい人が増えればそれだけ価格も上がってくる。あまりにも価格が高騰した事で、アメリカのFRBという日本の日銀のような中央銀行が価格を抑えようとし、金利を引き上げたんだ。

社長

難しく聞こえます……。

リーマン

簡単に言うと、上がり過ぎた価格が急激に下がったんだ。家の価格が高騰する中で無理して買った人は、金利が上がった事で返済が出来なくなってしまったんだ。

社長

つまり、住宅バブルが弾けたと……？

そう、そうなると借金を返してもらう権利を商品にした証券を持つ会社は大損するだろう？ 特にこの証券を大量に買っていた会社がリーマン・ブラザーズだった訳だ。

お金出して買った証券が紙クズになってしまったんですね。

そうだ。そして2008年にアメリカ４位の証券会社、リーマン・ブラザーズが倒産するという大事件が起きたんだ。これに衝撃を受けた人々は、今後もっと悪くなるかもと予想した。その結果、**ニューヨーク株式市場で大暴落が起きた**。

どんどん悪い方に進みますね……。

株式が大暴落した事で、多くの会社が動けなくなってしまった。つまりお金の流れがストップしたんだ。アメリカは多くの国と関係を持つ国だ。そんな国が止まってしまったから、世界的な金融危機になった。日本にも多くの影響があったのは覚えているだろう？

確かに連日ニュースになっていましたね。

こうしてアメリカの金融危機が世界に影響を及ぼした事で、世界経済に大混乱が生じた。これが**リーマン・ショック**という訳だ。

アメリカの住宅バブルが崩壊し、アメリカ経済に深刻なダメージを及ぼした。更にアメリカは、経済大国として多くの国との関係が深く、グローバルな時代においてアメリカの大混乱はそのまま、関係する国にも混乱を運んできてしまった。リーマン・ショックはまさに現代を象徴する金融危機だった。そして、この問題が、更に別の問題にも繋がっていく事になるようだ。詳しく見ていこう。

大国アメリカと台頭する中国の「新冷戦」が勃発!?

近年**アメリカと中国の関係の悪さ**が世界のニュースになっている。中国は社会主義市場経済で国を潤し、アメリカの後押しもあり経済的に強くなった。しかし、そんな中国が、アジアを中心に多くの問題を起こしている。この背景には何があるのだろうか。米中の関係を構築したアメリカのリチャード・ニクソン元大統領に話を聞いていこう。

まずは中国とアメリカの関係を教えてください。

社長

まず中国は社会主義国として冷戦中はアメリカとの関係は悪かった。特に1960年代に核兵器を保有した事で、米中の関係は緊迫するようになった。しかし、1972年に私が中国に行き、アメリカと中国の関係をよくしようとしたんだ。

ニクソン

中国は社会主義で、アメリカは自由主義なんですよね？ なぜ仲良くなろうと？

社長

この時代はソ連が次第に強くなっていた時代だ。ソ連を止めようとしていたこの時代、実は同じ社会主義国家でも中国とソ連の仲が悪くなっており、1969年にはダマンスキー島で武力衝突まで起きていたんだ。

そうだったのですね。

この関係性の亀裂にアメリカが割り込み、中国をソ連から引き離そうとしたんだ。そして、1979年に**米中国交正常化**が行われ、関係は修復。その後、アメリカによって世界との結びつきを後押しされた中国は経済的に成長していった。

将来的に中国が大国になったら脅威になると予想はしなかったのですか？

勿論、警戒はしていたさ。だけど、それ以上に中国との結びつきはアメリカの経済にメリットがあったんだ。世界的に最も多い人口に安い生産コスト。どの国も経済が最優先だからな。それに軍事的にも中国が狙う台湾問題は最も警戒していたが、1990年代の台湾海峡危機でもアメリカの軍事力に中国が引き下がるという事もあったので、関心は経済的な部分が強かったんだ。

なるほど。中国の成長にはアメリカの影響と思惑があるのですね。

だが、中国の成長スピードはとても速く、一方、アメリカに端を発した2008年のリーマン・ショックで世界的な経済混乱が起きた。世界が自分の国で精一杯になっている時期に、**中国はいち早くこの経済危機を乗り越え、周辺国に圧力を強めるようになった**んだ。

例えばどんな事ですか？

軍事力の増強、南シナ海における人工島、太平洋への海洋進出などだ。更に経済面でも成長していき、アメリカにとって脅威として映るようになったんだ。

アメリカは何もしなかったのですか？

当時はリーマン・ショックもあり、2000年代初めから続くアフガニスタンやイラクでの戦争、さらにはアラブの春からシリア内戦など、アメリカが介入する事が多く手一杯だった。また、**バラク・オバマ**元大統領の時代にアメリカは世界の警察ではないと演説した事で、中国やロシアはアメリカが消極的になったと考えた。

アメリカ一極時代の終わりですね。

ただ、オバマ元大統領の時代に初めはよかった中国との関係を、大統領2期目になると見直し、中国の台頭に待ったをかけようとした。そして、オバマの後に出てきたのが**ドナルド・トランプ**前大統領だ。

世界を騒がせた大統領ですね。

そう。トランプはアメリカ第一主義を掲げて、赤字になっている中国との貿易を改善させるとして多額の関税をかけた。これに報復として中国もアメリカの貿易品に多額の関税をかける。こうして始まったのが2018年の**貿易戦争**だ。

まさに「**新冷戦**」の戦いですね。

更に貿易戦争で関係に亀裂が入ると、技術流出や台湾・日本への安全保障、次世代の技術分野などから、中国を脅威と見なす流れが大きくなっていき、アメリカから中国製のものを無くそうとする動きが強くなっていった。

5Gでも揉めていましたね。

そう。そして、2020年になり、**中国の西方にあるウイグル族や香港への弾圧**が世界でも取り沙汰されると、アメリカもこれに追随し中国へ圧力をかける事を本格化していったんだ。

警戒していたとは言え、ここまで急速に関係が悪化したのはなぜでしょうか？

やはり中国が、軍事的にも技術的にも経済的にも、アメ

リカに追いついてきたからだ。アメリカは自分達に迫ってくる国を脅威と見なすから、近年の中国の成長と共にアメリカの警戒の速度も上がってきているという訳だな。

社長

これからはどんな動きが予想されますか？

ニクソン

カナダ、フランス、ドイツ、イタリア、日本、イギリス、アメリカからなるG7でも中国を名指しで批判しているところを見ると、中国を相手に西側が連携しようとしている。今でも対中国との新しい冷戦は続いていくと考えているのではないだろうか。

新しい冷戦に突入した米中だが、かつてのソ連との冷戦とは違い、社会主義vs自由主義という側面よりも、経済や人権問題といった部分で争っているところがある。ますます激しさを増す冷戦の行方はどうなるのか。今後も注目だ。

（第3部「完」）

おわりに

はじめまして。第1部を担当した「副社長」と申します。

只今、僕の胸の中には驚きと嬉しさと、ちょっぴり不安が渦巻いています。まさか、このような書籍を出版させてもらう機会を頂くとは！ いや、本当に良いんですか？ 僕らは学校の先生とかじゃなく、ただの「ご近所の歴史好き兄ちゃん」なんですけどw

思えば、自分がYouTubeで歴史動画をあげるまで歴史好きになったのは小学生の頃でした。

当時、仕事から帰宅した父が視聴するテレビ番組は『サスペンス劇場』か『歴史もの・時代劇』の二択。なので晩飯を食べながら半ば強制的に見ていたのですが、当初は全く興味は沸かないし、面白さも分かりませんでしたw だけど、ずっと見ていたらいつのまにか歴史のロマンに興奮するようになっていました。てか、きっかけさえあれば男の子ならば！ 歴史に胸を熱くするのは当たり前なのだ！ まさに自然な事象！ なにせ男の子なんだから！ ……たぶん。

てな感じで僕が歴史好きになったきっかけは父の影響でしたが、歴史といっても人それぞれ、好きなジャンル・ツボがあります。

僕が好きなのは世界の「戦史」です。戦う歴史と書いて戦史。

皆さんも学生時代、教科書に載っている関ヶ原の布陣図などを見て興味を惹かれましたよね？

「なんでこういった行軍をしたのだろう？」

「この布陣はなんで勝てたんだろう？ 何が強いんだろう？」

わかります、気になっちゃいますよね。軍の動きを表した行軍図の矢印を見てワクワクしちゃいますよね。それらを拗らせたのが世に言う「戦史好き」です。僕はそれを「戦史沼にはまる」とも呼んでいます。

おわりに

その時代の戦場を駆けた将達の戦略・戦術や武器、兵器、装備、戦場の風景……それらに想いを馳せるのです。ほら？ ロマンで感じてくるでしょう？ うんうん、良いんです。それは普通の事なんですよ。(ニッコリ

まぁ、とにかく歴史はどの視点から見るかで深みが変わり、より面白くなると思います。もちろん歴史上には残酷で悲しい事が沢山あります。歴史は面白いと言ったら不謹慎かもしれません。でも最初はそういった難しい事を考えて頭をショートさせるのではなく、純粋に「歴史は面白い！」と思ってほしいのです。願わくはこの本がその面白さに気付く、歴史に興味を持つきっかけになれば幸いです。

最後に今回、出版にご協力くださった編集部の皆様、読んでいただいた読者の皆様にありったけの感謝を。ありがとうございました。

いつかやる 副社長

おわりに

最後までご愛読ありがとうございます！ 第2部を担当したぴろすけです。

裏話ですが初書籍という事で気合い入りすぎて、僕だけで240ページ（本1冊分）以上書いてしまい、削る作業が一番大変でした汗。なので林大学頭、土方歳三、福沢諭吉、柴五郎、小村寿太郎……とインタビューする予定でしたが心を鬼にしてカットしました！ 彼らにはいつかYouTube動画で解説して供養したいと思いますw

それで今回、この本を買ってくれた皆様は「そもそもお前ら誰やねん？」って思っている方も多いと思いますので自己紹介すると、僕らはニコニコ動画、YouTubeで趣味の歴史動画をひたすら投稿している変わり者3人組です。社長、副社長、僕は専門学校が一緒で、そこで出会い、毎日歴史の話で盛り上がっていました。それがひょんな事で3人で活動するようになって、今に至る感じです。

まさかこんな歴史オタク活動を応援してくれる人がいて、書籍を出す事になるなんて夢にも思ってなかったですねw 昔から頭の片隅に「本出したいなぁ～」なんて妄想はしていましたが、それが実現するとは思ってなかったですね！ 武将や剣豪をひたすらノートに書いて自分専用の歴史本を作っていた中学時代の自分に教えてやりたいw

これも全て今回、声をかけてくださったKADOKAWAの金子拓也様、イラストを描いてくださった伊藤ハムスター様、訂正やフォローしてくださいました監修の先生方、そしてこの書籍をご購入した皆様のおかげです！ ありがとうございました！

晩年は若者に「俺、本出したことあるんだぜ」っと武勇伝をひたすら語りまくり、社会の厳しさを教えてやろうと思います！

いつかやる ぴろすけ

おわりに

まず本書を手にとってくださり、ここまでお付き合いいただきましてありがとうございます。第3部を担当した「社長」と申します。

近現代史と聞くと難しく、大人でも忌避感を持つかもしれません。ですが、現代の世界の動きには近現代史という知識が大変重要になってきています。2022年、高校でもそれまで日本史・世界史と別々に習ってきた授業から、世界と日本の歴史を合わせ、かつ近現代史を学ぶという「歴史総合」に変わりました。今後の未来ある子供達は今の私達以上に学校で新しい時代を学ぶ事になるでしょう。

そんな中、子供達に近現代や今の情勢について質問された時に、大人の一人として、答えは出せなくとも考え方や新たなる視点を教えられるようになっていれば子供達の未来はより明るくなるかな？と妄想していたりします。

難しい問題が山積みな世界において、答えだけを求めるのは難しいものです。その結果、SNSで「いいね！」を稼いでいる意見が正解と錯覚してしまう傾向もあります。しかし実際の世界はSNSとは違い、目まぐるしく動いています。それぞれの大人がしっかりとした知識を持ち現実と向かい合わなければなりません。その基礎知識として本書が一助になれば幸いです。

最後に今回の書籍を提案し手助けしてくれた金子様、素晴らしいイラストを描いてくれた伊藤ハムスター様、厳しい訂正で新しい知識を頂けた監修の先生、そして本書を購入しここまでお付き合い頂けた皆様に心より感謝を申し上げます。本当にありがとうございました。

やったぜ皆！ 俺！ 本出版できたぜ！

いつかやる 社長

非株式会社いつかやる

YouTube・ニコニコ動画で活動している本格歴史系ユニット。現代史を中心に地政学・国際情勢なども扱う「社長」、世界史を中心に戦史・戦略なども扱う「副社長」、日本史を中心に人物史、剣術・武術なども扱う「ぴろすけ」、この3人のメンバーで広い歴史からコアな歴史まで様々な動画で発信している。YouTubeはチャンネル登録者数44万人、ニコニコ動画はフォロワー数20.8万人（2023年3月現在）。

相澤 理（あいざわ・おさむ）

1973年生まれ。東京大学文学部卒業。長年にわたり東進ハイスクール・東進衛星予備校講師としてセンター試験倫理対策講座を担当。現在は、通信教育予備校「早稲田合格塾」のほか、首都圏の高校で受験指導にあたっている。YouTubeチャンネル「ユーテラ」で授業動画を配信中。『歴史が面白くなる 東大のディープな日本史』（KADOKAWA）はシリーズ累計35万部を突破。その他の著書に『悩んだら先人に聞け』（笠間書院）、『マンガで倫理が面白いほどわかる本』（KADOKAWA）などがある。

鵜飼恵太（うかい・けいた）

大手予備校で教鞭を取る世界史講師。東大・一橋大クラスから早慶大、基礎クラスまでを担当し、それぞれのレベルに合わせたわかりやすい授業を展開する。暗記ではなく、「“人”が動く歴史」を通じて「現代を見る目」を持ってほしい、との想いから、世界の繋がりや因果関係の解説を重視している。難しいこともやさしい言葉やたとえ話を使って説明するが、内容は妥協しない。また、丁寧な添削指導にも定評があり、東大模試などの作成にも携わっている。

近代から現代まで時空を超えてインタビュー!?
「日本と世界」が同時にわかる すごい歴史

2023年4月3日　初版発行

著者／非株式会社いつかやる
監修／相澤 理
　　　鵜飼 恵太

発行者／山下 直久

発行／株式会社KADOKAWA
〒102-8177　東京都千代田区富士見2-13-3
電話　0570-002-301（ナビダイヤル）

印刷所／凸版印刷株式会社

●お問い合わせ
https://www.kadokawa.co.jp/（「お問い合わせ」へお進みください）
※内容によっては、お答えできない場合があります。
※サポートは日本国内のみとさせていただきます。
※Japanese text only

定価はカバーに表示してあります。

ISBN 978-4-04-606169-0　C0020